GW00391178

Julie Postill

Let's Speak French

I

BY

PAMELA SYMONDS, M.A.

Formerly French Mistress at
Ashlyns School, Berkhamsted, and
Berkhamsted School for Girls

Second Edition

OXFORD UNIVERSITY PRESS

Oxford University Press, Walton Street, Oxford OX2 6DP

OXFORD LONDON GLASGOW
NEW YORK TORONTO MELBOURNE WELLINGTON
IBADAN NAIROBI DAR ES SALAAM LUSAKA CAPE TOWN
KUALA LUMPUR SINGAPORE JAKARTA HONG KONG TOKYO
DELHI BOMBAY CALCUTTA MADRAS KARACHI

First published 1962
Second Edition 1977
Reprinted 1978

Illustrations drawn by

BENY KANDLER

Tapes and Wall Pictures for this book are available, and orders for them should be sent to the Tutor-Tape Company Ltd., 2 Replingham Road, London, S.W. 18

Printed in Great Britain
at the University Press, Oxford
by Vivian Ridler
Printer to the University

PREFACE

Let's Speak French is an introductory course in two parts intended for pupils at the post-primary stage. The language is meant to be introduced orally, so that students begin by listening, understanding, and speaking—then go on to read and write what they have learnt to understand and say.

The course sets out to teach basic vocabulary and essential grammatical structures, and to do so slowly and thoroughly. It aims at developing a pupil's instinctive use of correct French through intensive use in meaningful contexts, rather than by application of formal grammatical rules. Those who need rules may however find them in the Appendix where examples from the text are presented in the form of *Tableaux de Grammaire.*

The content of these books is inspired by *le Français fondamental.* The situational interest is created by the imaginary characters living in a small, imaginary French town. Together, the two books offer enough material for three years' work or more, depending on the speed and treatment adopted. They should provide a sound, practical foundation for classes of various types, whether or not an examination is eventually to be taken. It is also hoped that they may prove useful with pupils who need extra grammatical help, but who cannot cope with structural drills of the abstract variety.

I shall always be grateful to Dr. F. D. Rushworth whose original advice did so much to shape these books; and also to John Buckley and our mutual colleagues at Ashlyns School, Berkhamsted, who galvanized me into writing them in the first place.

London

May 1976

TABLE DES MATIÈRES

NOTE TO TEACHERS

Arrangement of the text

1. The text of the lessons is arranged in sections as follows:
   Section A presents the pictures and is numbered to correspond with them.
   Section B consists of comprehension questions on the pictures and the presentation text.
   Section C contains additional exercises. When these are numbered they are also related to the pictures, but this section is sometimes more general.
   Section D gives outline suggestions for live classroom situations and dialogues. The purpose of these is the introduction and practice of first and second persons of verbs, and personal use of suitable vocabulary.

2. In the few cases where a *Leçon supplémentaire* is added, the arrangement of the sections is similar to the above.

3. All sections are meant to be worked orally before being read or written. There is a flap on the back cover of the book so that pupils may place it over the printed text while working orally on the pictures.

Procedure for lessons

1. *Oral presentation of pictures and text*
   The children should cover the text and concentrate on the pictures only. Teachers may want to begin with a short, general introduction to the subject-matter in English. Presentation of the French will follow, picture by picture, as naturally as possible and at a normal speed. The class may repeat what the teacher says, questions and answers may be used during the presentation stage—and the whole process should be as varied as possible.

2. *Questions and answers*
   There is no need to restrict these to the examples given in Section B. Lively oral work is often best achieved by mixing

questions with provocative statements of untruth, suggested alternatives, and so on. These keep the balance and make communication less artificial. Pupils should be allowed to take the initiative as soon as they can, questioning the teacher and one another as they would do normally in their own language.

3. *Reading*

Since no two classes are alike, nobody but the teacher can judge the right moment for this. Early introduction of reading can inhibit oral work, and it can also damage development of a good pronunciation. On the other hand, pupils with good visual memory find that reading fixes language that they have acquired. There are therefore no rules that can be universally applied.

It is probably best for the teacher to begin by reading the text aloud while pupils follow it silently. Reading aloud by pupils may follow, in chorus and individually. With classes that have difficulty in associating sounds and spellings, reading practice may be given on an earlier lesson while oral work on a later one is being developed.

4. *Writing*

Transition from reading to writing may be eased by use of the blackboard, where simple completion exercises may be worked in teams or groups—perhaps several times over on different days, with a score-board to record performance. Mistakes made by one team are rarely repeated by another.

Pupils who have no difficulty in reading may soon be able to give written answers to exercises that have been thoroughly prepared orally. Short, simple dictations of familiar sentences are helpful for fixing sounds and their spellings. Abler children may cover the printed text, write sentences they know describing pictures on the opposite page, then check for themselves what they have written.

SUGGESTIONS FOR INTRODUCTORY LESSONS

1. Many teachers like to begin by giving the class some background information about the country, the people and the French way of life. This stimulates curiosity and encourages the idea that the language is a living reality. Interest in France may be sustained by scrap-books in which pupils collect pictures, articles from magazines, and any other realia they can get.

2. Introduction to the language may be entirely personal. Each pupil may be given a French name, and this may be followed by discussion of who is called what. Most young people like to be able to say *bonjour, comment ça va?, s'il vous (te) plaît, merci beaucoup, au revoir*, and so on. Expressions like these should become part of the regular classroom routine.

3. A whole series of preliminary lessons may be based on discussion of classroom surroundings. Fundamental sentence patterns can be taught by this means, the same patterns being repeated—with different vocabulary—when the book is started. Here are suggestions showing the slowest possible development of the most elementary structures:

a) *C'est un . . .*
Point out and name a number of masculine objects visible in the room.
e.g. *Voilà un radiateur/un mur/un pupitre.*
Have pupils repeat what you say, in chorus and individually. Then vary the conversation with questions or statements inviting correction.
e.g. *Est-ce un mur? Non monsieur, c'est un radiateur.*
Ça c'est un mur. Non monsieur, c'est un pupitre.
b) *C'est une . . .*
Repeat the same type of conversation, using the names of feminine objects seen around the room. Question forms may be changed at the practice stage:
e.g. *Est-ce que c'est un . . .? Qu'est-ce que c'est (que ça)?*
If some of the objects discussed are personal possessions, you might decide to strike a personal note and introduce *avoir:* e.g. *J'ai un stylo/une montre. J'en ai un/une. Qui a un stylo/une montre?*

To which a succession of replies would be given on this pattern:

J'en ai un/une. And later perhaps: *Moi, je n'en ai pas.*

c) Definite articles and prepositions

Demonstrate *le* and *la*, perhaps separately, by placing objects in various positions.

e.g. *Le livre de Pierre est dans le placard.*
La chaise de Marie est devant la fenêtre.

Encourage individuals to think of incongruous arrangements and gradually include the whole range of prepositions *(sur, sous, derrière). Sur* and *sous* may be practised by building up a pile of objects one on top of another, then discussing which thing is on or under what. Different arrangement of the pile gives almost unlimited scope for conversation . Finally, of course, the question *(Où est le . . ./la . . .?)* is taught and practised.

d) Plurals

Numbers 1–10 might be taught and practised on their own, in a variety of different ways. They may then be associated with known nouns:

e.g. *deux livres, trois crayons, quatre billes, cinq allumettes.*

Encourage pupils to bring small objects to school, then place (or hide) them here and there in the classroom, and teach the plural forms of sentences described in note c) above.

e) Subject pronouns

Once nouns are established, third person *il(s)* and *elle(s)* may replace them. But it is best to give the pronouns as cue words in the early stages of questioning:

e.g. *Regardez le livre de Pierre! où est-il?*
Et la chaise de Marie? où est-elle?
Et les billes de Paul? où sont-elles?

4. Nowadays most French teachers say *tu* to pupils they know fairly well. French pupils always address a teacher as *vous.* It is a good idea to follow the same mixture of polite and familiar forms in our classrooms. The difference has to be explained, and foreign students of French should be prepared to meet either form of address. They should be advised to use the *vous* forms to French people themselves. They will discover by experience that it is safe to use *tu* to contemporaries, but unwise to presume familiarity when meeting anyone else for the first time.

5. Encourage pupils to think up ways in which they can re-use language they know. One possibility is to suggest that they draw or trace single

objects and figures from the pictures in their books, then put these together in combinations that differ from the book illustrations. Take, for example, the illustrations on page 14: the cat might appear on the chair, the girl might be perched on the wall, and so on. Inventive pupils will find a number of original arrangements, all of which involve recombination of a limited range of language. Creative work of this kind can be a powerful aid to learning.

1
2
3
4
5
6

LEÇON 1

Qu'est-ce que c'est?

A.

1. Voici un **garçon**.
   Qu'est-ce que c'est ?
   C'est un garçon.

2. Voici un **chat**.
   Qu'est-ce que c'est ?
   C'est un chat.

3. Voici un **chien**.
   Qu'est-ce que c'est ?
   C'est un chien.

4. Voici un **bonbon**.
   Qu'est-ce que c'est ?
   C'est un bonbon.

5. Voici un **pain**.
   Qu'est-ce que c'est ?
   C'est un pain.

6. Voici un **verre**.
   Qu'est-ce que c'est ?
   C'est un verre.

B. Répondez:

I. 1. Est-ce que c'est un garçon?
Oui, c'est un garçon.
2. Est-ce que c'est un chat?
3. Est-ce que c'est un chien?
4. Est-ce que c'est un bonbon?
5. Est-ce que c'est un pain?
6. Est-ce que c'est un verre?

II. 1. Est-ce que c'est un chien?
Non, c'est un garçon.
2. Est-ce que c'est un chien?
3. Est-ce que c'est un chat?
4. Est-ce que c'est un pain?
5. Est-ce que c'est un verre?
6. Est-ce que c'est un bonbon?

III. 1. Est-ce que c'est un chat?
2. Est-ce que c'est un chat?
3. Est-ce que c'est un garçon?
4. Est-ce que c'est un chien?
5. Est-ce que c'est un bonbon?
6. Est-ce que c'est un pain?

C. Complétez:

1. C' . . . u . g . . . . .
2. C' . . . u . c . . .
3. C' . . . u . c . . . .
4. C' . . . u . b . . . . .
5. C' . . . u . p . . .
6. C' . . . u . v . . . .

Corrigez:

1. C'est un bonbon.
2. C'est un pain.
3. C'est un chat.
4. C'est un garçon.
5. C'est un chien.
6. C'est un pain.

1
2
3
4
5
6
GAUL

LEÇON 2

Qu'est-ce que c'est?

A.

1. Voici un**e** **fillette**.
   Qu'est-ce que c'est?
   C'est une fillette.

2. Voici un**e** **tasse**.
   Qu'est-ce que c'est?
   C'est une tasse.

3. Voici un**e** **pomme**.
   Qu'est-ce que c'est?
   C'est une pomme.

4. Voici un**e** **cheminée**.
   Qu'est-ce que c'est?
   C'est une cheminée.

5. Voici un**e** **bouteille**.
   Qu'est-ce que c'est?
   C'est une bouteille.

6. Voici un**e** **cigarette**.
   Qu'est-ce que c'est?
   C'est une cigarette.

B. Répondez:

I. 1. Est-ce que c'est une fillette?
Oui, c'est u . . f . . . .
2. Est-ce que c'est une bouteille?
Non, c'est u . . t . . . .
3. Est-ce que c'est une cigarette?
4. Est-ce que c'est une cheminée?
5. Est-ce que c'est une tasse?
6. Est-ce que c'est une pomme?

II. 1. Est-ce que c'est un garçon?
Non, c'est une f . . . .
2. Est-ce que c'est un verre?
3. Est-ce que c'est un pain?
4. Est-ce que c'est un chien?
5. Est-ce que c'est un chat?
6. Est-ce que c'est un bonbon?

III. 1. Qu'est-ce que c'est?
2. Est-ce que c'est un pain?
3. Est-ce que c'est un bonbon?
4. Qu'est-ce que c'est?
5. Est-ce que c'est un verre?
6. Qu'est-ce que c'est?

C. Complétez:

1. C' . . . u . . f . . . .
2. C' . . . u . . t . . . .
3. C' . . . u . . p . . . .
4. C' . . . u . . c . . . .
5. C' . . . u . . b . . . .
6. C' . . . u . . c . . . .

Corrigez:

1. C'est un chien.
2. C'est un pain.
3. C'est une bouteille.
4. C'est un verre.
5. C'est une pomme.
6. C'est un bonbon.

1
2
3
4
5
CIGARETTES
6

LEÇON 3

Où est le chat?

A.

1. Voici un chat. Voici un **mur**.
   Où est **le** chat?
   Le chat est **sur** le mur.

2. Voici un chien. Voici un **fauteuil**.
   Où est le chien?
   Le chien est **dans** le fauteuil.

3. Voici un pain. Voici un **panier**.
   Où est le pain?
   Le pain est dans le panier.

4. Voici une tasse. Voici une **soucoupe**
   Où est **la** tasse?
   La tasse est sur la soucoupe.
   Où est la soucoupe?
   La soucoupe est **sous** la tasse.

5. Voici une cigarette. Voici une **boîte**.
   Où est la cigarette?
   La cigarette est dans la boîte.

6. Voici une fillette. Voici une **chaise**.
   Où est la fillette?
   La fillette est sur la chaise.

B. Répondez:

I. 1. Est-ce que le chat est sous le mur?
Non, le chat est s . . le mur.
2. Est-ce que le chien est sous le fauteuil?
3. Est-ce que le pain est dans le panier?
4. (*a*) Est-ce que la tasse est sous la soucoupe?
(*b*) Est-ce que la soucoupe est sous la tasse?
5. Est-ce que la cigarette est sur la boîte?
6. Est-ce que la fillette est sous la chaise?

II. 1. Est-ce que le chat est dans un fauteuil?
Non, le chat est s . . un m . .
2. Est-ce que le chien est sur une chaise?
3. Est-ce que le pain est dans une boîte?
4. Est-ce que la soucoupe est sous un verre?
5. Est-ce que la cigarette est dans une tasse?
6. Est-ce que la fillette est sur un mur?

III. 1. Où est le chat?
2. Où est le chien?
3. Où est le pain?
4. (*a*) Où est la tasse?
(*b*) Où est la soucoupe?
5. Où est la cigarette?
6. (*a*) Où est la fillette?
(*b*) Où est la chaise?

C. Complétez:

1. L . c . . . est s . . l . m . .
2. L . c . . . . est d . . . l . f . . . .
3. L . p . . . est d . . . l . p . . . . .
4. (*a*) L . t . . . . est s . . l . s . . . .
(*b*) L . s . . . . est s . . . l . tasse.
5. L . c . . . . est d . . . l . b . . . .
6. (*a*) L . f . . . . est s . . l . c . . . . .
(*b*) L . chaise est s . . . l . f . . . .

Corrigez:

1. Un garçon est sur le mur.
2. Une fillette est dans le fauteuil.
3. Une pomme est dans le panier.
4. Une bouteille est sur la soucoupe.
5. Un bonbon est dans la boîte.
6. Un chien est sur la chaise.

LEÇON SUPPLÉMENTAIRE

A.

1. Le chat est sur le mur. Où est-**il** ?
   Il est sur le mur.

2. Le chien est dans le fauteuil. Où est-il ?
   Il est dans le fauteuil.

3. Le pain est dans le panier. Où est-il ?
   Il est dans le panier.

4. La tasse est sur la soucoupe. Où est-**elle** ?
   Elle est sur la soucoupe.
   La soucoupe est sous la tasse. Où est-elle ?
   Elle est sous la tasse.

5. La cigarette est dans la boîte. Où est-elle ?
   Elle est dans la boîte.

6. La fillette est sur la chaise. Où est-elle ?
   Elle est sur la chaise.

B. Répondez:

1. Est-ce que le chat est sur une chaise ?
   Non, il est s . . un m . .
2. Est-ce que le chien est sur un mur ?
3. Est-ce que le pain est sur une soucoupe ?
4. Est-ce que la tasse est dans une boîte ?
5. Est-ce que la cigarette est dans un verre ?
6. Est-ce que la fillette est dans un fauteuil ?

1
2
3
4
5
6
GAULOISES
CAPORAL
20 CIGARETTES
REGIE FRANCAISE

LEÇON 4

Où sont les verres?

A.

1. Voici **deux** verre**s**, deux chat**s** **et** une **table**.
   Où **sont les** verres?
   Les verres sont sur la table.
   Où sont les chats?
   Les chats sont sous la table.

2. Voici **trois** tasse**s** et trois soucoupe**s**.
   Où sont les tasses?
   Les tasses sont sur les soucoupes.
   Où sont les soucoupes?
   Les soucoupes sont sous les tasses.

3. Voici **quatre** bonbon**s** et une boîte.
   Où sont les bonbons?
   Les bonbons sont dans la boîte.

4. Voici **cinq** cheminée**s** et un **toit**.
   Où sont les cheminées?
   Les cheminées sont sur le toit.

5. Voici **six** pomme**s** et un panier.
   Où sont les pommes?
   Les pommes sont dans le panier.

6. Voici **sept** cigarette**s** et un **paquet**.
   Où sont les cigarettes?
   Les cigarettes sont dans le paquet.

B. Répondez:

1. (*a*) Est-ce que les chats sont sur la table ?
   (*b*) Est-ce que les verres sont sous la table ?
2. Est-ce que les tasses sont sous les soucoupes ?
3. Est-ce que les bonbons sont sur la boîte ?
4. Est-ce que les cheminées sont sous le toit ?
5. Est-ce que les pommes sont sous le panier ?
6. Est-ce que les cigarettes sont sur le paquet ?

C. Complétez:

1. (*a*) L.. v..... s... sur l. table.
   (*b*) L.. c.... s... sous l. table.
2. (*a*) L.. t..... s... sur l.. s........
   (*b*) L.. s........ s... sous l.. t.....
3. L.. b...... sont d... l. b....
4. L.. c........ sont s.. l. t...
5. L.. p..... s... dans l. p.....
6. L.. c......... sont d... l. p.....

Corrigez:

1. Voici trois verres, un chat et une chaise.
2. Voici quatre tasses et trois verres.
3. Voici sept bonbons dans un panier.
4. Voici cinq chats sur un mur.
5. Voici quatre pommes dans une boîte.
6. Voici six cigarettes sur une table.

LEÇON SUPPLÉMENTAIRE

A.

1. Voici deux verres. Où sont-**ils**?
   Ils sont sur la table.
   Voici deux chats. Où sont-ils?
   Ils sont sous la table.

2. Voici trois tasses. Où sont-**elles**?
   Elles sont sur les soucoupes.
   Voici trois soucoupes. Où sont-elles?
   Elles sont sous les tasses.

3. Voici quatre bonbons. Où sont-ils?
   Ils sont dans la boîte.

4. Voici cinq cheminées. Où sont-elles?
   Elles sont sur le toit.

5. Voici six pommes. Où sont-elles?
   Elles sont dans le panier.

6. Voici sept cigarettes. Où sont-elles?
   Elles sont dans le paquet.

B. Répondez:

I. 1. (*a*) Où sont les verres?
   Ils sont s . . la table.
   (*b*) Où sont les chats?
2. (*a*) Où sont les tasses?
   (*b*) Où sont les soucoupes?
3. Où sont les bonbons?
4. Où sont les cheminées?
5. Où sont les pommes?
6. Où sont les cigarettes?

II. 1. (*a*) Est-ce que les chats sont sous la table?
   Oui, ils sont s . . . la table.
   (*b*) Est-ce que les verres sont sous la table?
2. Est-ce que les soucoupes sont sur les tasses?
3. Est-ce que les bonbons sont sous la boîte?
4. Est-ce que les cheminées sont sur le toit?
5. Est-ce que les pommes sont sous le panier?
6. Est-ce que les cigarettes sont sous le paquet?

1

8 9 10 11 12 13 14 15 16 17 18 19 20

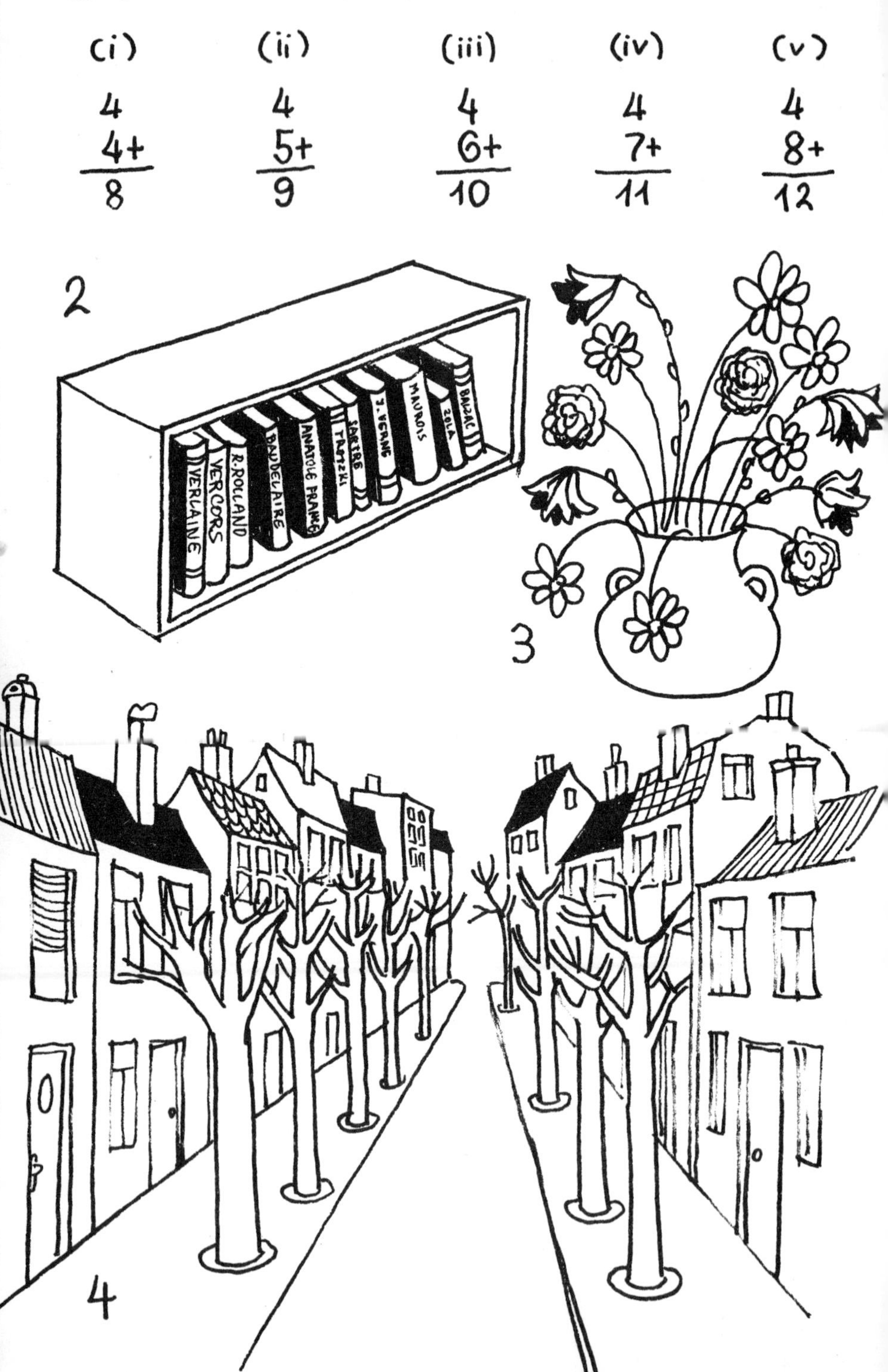

LEÇON 5

Comptez en français!

A. 1. Voici **des nombres**: **huit**, **neuf**, **dix**, **onze**, **douze**, **treize**, **quatorze**, **quinze**, **seize**, **dix-sept**, **dix-huit**, **dix-neuf**, **vingt**.

(i) Quatre et quatre **font** huit. (ii) Quatre et cinq font neuf. (iii) Quatre et six font dix. (iv) Quatre et sept font onze. (v) Quatre et huit font douze.

2. Voici un **rayon**. Sur le rayon **il y a** des **livres**.
Comptez les livres!
Un, deux, trois, quatre, cinq, six, sept, huit, neuf, dix, onze livres.
Combien de livres est-ce qu'il y a sur le rayon?
Il y a onze livres sur le rayon.

3. Voici un **vase**. Dans le vase il y a des **fleurs**.
Comptez les fleurs!
Un**e**, deux, trois, quatre, cinq, six, sept, huit, neuf, dix, onze, douze, treize fleurs.
Combien de fleurs est-ce qu'il y a dans le vase?
Il y a treize fleurs dans le vase.

4. Voici une **rue**. Dans la rue il y a des **arbres** et des **maisons**.
Comptez les arbres!
Un, deux, trois, quatre, cinq, six, sept, huit, neuf arbres.
Il y a neuf arbres dans la rue.
Comptez les maisons!
Un**e**, deux, trois, quatre, cinq, six, sept, huit, neuf, dix, onze maisons.
Il y a onze maisons dans la rue.

B. Répondez:

I. 1. (*a*) Combien font quatre et neuf?
(*b*) Combien font quatre et dix?
(*c*) Combien font quatre et onze?
(*d*) Combien font quatre et douze?
(*e*) Combien font quatre et treize?
(*f*) Combien font quatre et quatorze?
(*g*) Combien font quatre et quinze?
(*h*) Combien font quatre et seize?

2. (*a*) Qu'est-ce qu'il y a sur le rayon?
Il y a des l..... sur le rayon.
(*b*) Combien de livres est-ce qu'il y a sur le rayon?

3. (*a*) Qu'est-ce qu'il y a dans le vase?
(*b*) Combien de fleurs est-ce qu'il y a dans le vase?

4. (*a*) Qu'est-ce qu'il y a dans la rue?
(*b*) Combien d'arbres est-ce qu'il y a dans la rue?
(*c*) Combien de maisons est-ce qu'il y a dans la rue?

II. 1. (*a*) Combien font dix et trois?
(*b*) Combien font douze et sept?
(*c*) Combien font sept et sept?

2. (*a*) Est-ce qu'il y a des bouteilles sur le rayon?
(*b*) Où sont les livres?

3. (*a*) Est-ce que les fleurs sont dans un verre?
(*b*) Où sont les fleurs?

4. (*a*) Est-ce qu'il y a des fleurs dans la rue?
(*b*) Est-ce qu'il y a des toits sur les maisons?
(*c*) Comptez les toits! Combien de toits est-ce qu'il y a sur les maisons?
(*d*) Qu'est-ce qu'il y a sur les toits?
(*e*) Comptez les cheminées! Combien de cheminées est-ce qu'il y a sur les toits?

C. Calculez en français!

(*a*) 7+10=	(*f*) 8+8=
(*b*) 8+11=	(*g*) 10+8=
(*c*) 9+ 9=	(*h*) 13+2=
(*d*) 8+ 9=	(*i*) 16+1=
(*e*) 7+ 9=	(*j*) 17+3=

Corrigez:

1. (*a*) Onze et deux font quatorze.
   (*b*) Dix et quatre font douze.
   (*c*) Quatorze et six font dix-neuf.
   (*d*) Quinze et trois font seize.
2. (*a*) Les livres sont sur une chaise.
   (*b*) Il y a des verres sur le rayon.
   (*c*) Il y a dix livres sur le rayon.
3. (*a*) Les fleurs sont dans un panier.
   (*b*) Il y a des cigarettes dans le vase.
   (*c*) Il y a vingt fleurs dans le vase.
4. (*a*) Il y a treize arbres dans la rue.
   (*b*) Il y a douze maisons dans la rue.
   (*c*) Il y a six cheminées sur les toits.

1
4
2
5
3
6

LEÇON 6

Où est l'oiseau?

A.

1. Voici un **oiseau.** Voici une **branche.**
   Où est **l'**oiseau ?
   L'oiseau est sur la branche.

2. Voici un **homme**. Voici une **auto**.
   Où est l'homme ?
   L'homme est dans l'auto.

3. Voici un **âne**. Voici un arbre.
   Où est l'âne ?
   L'âne est sous l'arbre.

4. Voici des oiseau**x** sur une branche.
   Où sont les oiseaux ?
   Les oiseaux sont sur la branche.

5. Voici des hommes dans des autos.
   Où sont les hommes ?
   Les hommes sont dans les autos.

6. Voici des ânes sous des arbres.
   Où sont les ânes ?
   Les ânes sont sous les arbres.

B. Répondez:

I. 1. Qu'est-ce qu'il y a sur la branche?

Il y a un o . . . . . sur la branche.

2. Est-ce qu'il y a un garçon dans l'auto?
3. Qu'est-ce qu'il y a sous l'arbre?
4. Est-ce qu'il y a des chats sur la branche?
5. Est-ce qu'il y a des fillettes dans les autos?
6. Qu'est-ce qu'il y a sous les arbres?

II. 1. Est-ce que l'oiseau est sur une cheminée?

Non, il est sur u . . b . . . . . .

2. Est-ce que l'homme est dans une maison?
3. Est-ce que l'âne est sous un toit?
4. Est-ce que les oiseaux sont sur un mur?
5. Où sont les hommes?
6. Où sont les ânes?

III. 1, 4. Combien d'oiseaux est-ce qu'il y a sur les branches?

2, 5. Est-ce qu'il y a six hommes dans les autos?

3, 6. Combien d'ânes est-ce qu'il y a sous les arbres?

C. Corrigez:

I. 1. Il y a des oiseaux sur la branche.
2. Il y a des hommes dans l'auto.
3. Il y a des ânes sous l'arbre.
4. Il y a un oiseau sur la branche.
5. Il y a un homme dans l'auto.
6. Il y a un âne sous les arbres.

II. 1. Les oiseaux sont sur les branches.
2. Les hommes sont dans l'auto.
3. Les ânes sont sous l'arbre.
4. L'oiseau est sur la branche.
5. L'homme est dans l'auto.
6. L'âne est sous l'arbre.

Un peu de calcul

$10-5=5$. Dix **moins** cinq **fait** cinq.

$12-3=9$. Douze **moins** trois **fait** neuf.

Calculez:

(*a*) $10+6=$	(*e*) $11+5=$
(*b*) $10-6=$	(*f*) $11-5=$
(*c*) $15+3=$	(*g*) $9+7=$
(*d*) $15-3=$	(*h*) $9-7=$

Répondez:

(*a*) Combien font huit et huit ?
(*b*) Combien fait huit moins quatre ?
(*c*) Combien font treize et sept ?
(*d*) Combien fait quatorze moins sept ?
(*e*) Combien font dix et dix ?
(*f*) Combien fait dix-sept moins trois ?
(*g*) Combien font seize et deux ?
(*h*) Combien fait dix-huit moins trois ?
(*i*) Combien font douze et huit ?
(*j*) Combien fait douze moins huit ?

1
2
3
2+2=5
4

LEÇON 7

Dans la salle de classe

A.

1. Voici un **professeur**, un **bureau** et une **fenêtre**.
   Où est le professeur ? Il est **derrière** le bureau.
   Où est la fenêtre ? Elle est derrière le professeur.

2. Voici un garçon. C'est un **élève**.
   Voici un **pupitre** et une **serviette**.
   Où est le pupitre ? Il est **devant** l'élève.
   Où est la serviette ? Elle est sur le pupitre.

3. Voici une fillette. C'est un**e** élève.
   Voici un **tableau noir**.
   Où est l'élève ? Elle est devant le tableau noir.
   Où est le tableau noir ? Il est derrière l'élève.

4. Voici un **placard**, une chaise et une **porte**.
   Où est le placard ? Il est derrière la porte.
   Où est la chaise ? Elle est devant le placard.

B. Répondez:

I. 1. (*a*) Est-ce que le professeur est devant le bureau ?
   Non, il est d . . . . le bureau.
   (*b*) Est-ce que le professeur est devant la fenêtre ?

2. (*a*) Est-ce que la serviette est dans le pupitre ?
   (*b*) Est-ce que l'élève est derrière le pupitre ?

3. (*a*) Est-ce que l'élève est derrière le tableau noir ?
   (*b*) Est-ce que le tableau noir est derrière l'élève ?

4. (*a*) Est-ce que le placard est devant la chaise ?
   (*b*) Est-ce que la porte est devant le placard ?

II. 1. (*a*) Qu'est-ce qu'il y a devant le professeur?
Il y a un b . . . . . devant le professeur.
(*b*) Qu'est-ce qu'il y a derrière le professeur?

2. (*a*) Qu'est-ce qu'il y a sur le pupitre?
(*b*) Qu'est-ce qu'il y a devant l'élève?

3. (*a*) Qu'est-ce qu'il y a derrière la fillette?
(*b*) Où est la fillette?

4. (*a*) Qu'est-ce qu'il y a derrière la porte?
(*b*) Qu'est-ce qu'il y a devant le placard?

III. 1. (*a*) Est-ce qu'il y a un pupitre devant le professeur?
Non, il y a un b . . . . . devant le professeur.
(*b*) Où est le bureau?
(*c*) Est-ce qu'il y a une porte derrière le professeur?
(*d*) Où est le professeur?

2. (*a*) Est-ce qu'il y a une élève derrière le pupitre?
(*b*) Où est le pupitre?
(*c*) Est-ce qu'il y a un panier sur le pupitre?
(*d*) Est-ce que l'élève est dans un fauteuil?

3. (*a*) Est-ce qu'il y a un mur derrière l'élève?
(*b*) Où est l'élève?
(*c*) Est-ce qu'il y a un garçon devant le tableau noir?
(*d*) Où est le tableau noir?

4. (*a*) Est-ce qu'il y a une fenêtre devant le placard?
(*b*) Où est le placard?
(*c*) Est-ce qu'il y a une table devant le placard?

C. Complétez:

1. (*a*) Le p . . . . est d . . . . le bureau.
(*b*) La f . . . . . . est d . . . . le professeur.

2. (*a*) Le p . . . . . . est d . . . . . l'élève.
(*b*) La s . . . . est s . . le pupitre.

3. (*a*) L'é . . . . est d . . . . . le tableau noir.
(*b*) Le t . . . . . . n . . . est d . . . . l'élève.

4. (*a*) Le p . . . . . . est d . . . . la porte.
(*b*) La c . . . . . est d . . . . . le placard.

Corrigez:

1. (*a*) Le bureau est derrière le professeur.
   (*b*) La fenêtre est devant le professeur.

2. (*a*) Le garçon est sous le pupitre.
   (*b*) La serviette est dans le pupitre.

3. (*a*) Le tableau noir est devant l'élève.
   (*b*) L'élève est derrière le tableau noir.

4. (*a*) Le placard est devant la porte.
   (*b*) La chaise est dans le placard.

D. Où suis-je? Ecoutez le professeur!

LE PROFESSEUR: (*devant la porte*) **Regardez-moi!** Où **suis-je**? **Je suis** devant la porte.
LE PROFESSEUR: (*devant la fenêtre*) Où suis-je? Je suis devant la fenêtre.
LE PROFESSEUR: (*devant le tableau noir*) Où suis-je? Je suis devant le tableau noir.

(et ainsi de suite)[1]

Imitez le professeur!

PIERRE: (*devant la porte*) Regardez-moi! Je suis devant la porte.
MARIE: (*devant la fenêtre*) Regardez-moi! Je suis devant la fenêtre.
JEAN: (*devant le tableau noir*) Regardez-moi! Je suis devant le tableau noir.[1]

Dialogue

PIERRE: (*devant la porte*) Regardez-moi! Je suis devant la porte.
LE PROFESSEUR: (*à la classe*) Où est-il?
LA CLASSE: Il est devant la porte, monsieur.
MARIE: (*devant la fenêtre*) Regardez-moi! Je suis devant la fenêtre.
LE PROFESSEUR: (*à la classe*) Où est-elle?
LA CLASSE: Elle est devant la fenêtre, monsieur.[1]

[1] Je suis devant le placard/le bureau/la table/le pupitre/la chaise/le mur/le professeur/un(e) élève/Marie/Pierre/Jean.
Je suis derrière la porte/le bureau/la table/le pupitre/la chaise/le professeur/le tableau noir/un(e) élève/Marie/Pierre/Jean.
Je suis sur/sous le bureau/la table/le pupitre/la chaise.
Je suis dans le placard/la salle de classe/le **couloir**.

1
2
3
4
5
6

LEÇON 8

Qu'est-ce qu'il fait?

A.

1. Voici un garçon.
   Qu'est-ce qu'il **fait** ? Il **ouvre** une boîte.

2. Qu'est-ce qu'il fait ? Il **mange** un bonbon.

3. Voici un **bébé**.
   Qu'est-ce qu'il fait ? Il **regarde** un chat.

4. Qu'est-ce qu'il fait ? Il **touche** le chat.

5. Voici une fillette.
   Qu'est-ce qu'elle fait ? Elle mange une **glace**.

6. Voici une **femme**.
   Qu'est-ce qu'elle fait ? Elle **ferme** une porte.

B. Répondez:

I. 1. (*a*) Est-ce que le garçon ferme la boîte ?
   Non, il o . . . . la boîte.
   (*b*) Est-ce qu'il regarde la boîte ?
   (*c*) Est-ce qu'il touche la boîte ?

2. (*a*) Est-ce qu'il regarde le bonbon ?
   (*b*) Est-ce qu'il touche le bonbon ?

3. Est-ce que le bébé touche le chat ?

4. (*a*) Est-ce qu'il regarde le chat ?
   (*b*) Est-ce qu'il touche le chat ?

5. Est-ce que la fillette touche la glace ?

6. (*a*) Est-ce que la femme ouvre la porte ?
   (*b*) Est-ce qu'elle touche la porte ?
   (*c*) Est-ce qu'elle regarde la porte ?

II. 1. Est-ce que le garçon ouvre une porte ?
Non, il ouvre une b . . . .
2. Est-ce qu'il mange une pomme ?
3. Est-ce que le bébé regarde un âne ?
4. Est-ce qu'il touche un chien ?
5. Est-ce que la fillette mange un bonbon ?
6. Est-ce que la femme ferme une fenêtre ?

III. 1. Est-ce qu'un bébé ouvre la boîte ?
Non, un g . . . . . ouvre la boîte.
2. Est-ce qu'une fillette mange le bonbon ?
3. Est-ce qu'une femme regarde le chat ?
4. Est-ce qu'un homme touche le chat ?
5. Est-ce qu'un bébé mange la glace ?
6. Est-ce qu'un garçon ferme la porte ?

IV. 1. **Qui** ouvre la boîte ?
Le g . . . . . ouvre la boîte.
2. Qui mange le bonbon ?
3. Qui regarde le chat ?
4. Qui touche le chat ?
5. Qui mange la glace ?
6. Qui ferme la porte ?

C. Complétez:

1. L . garçon o . . . . u . . boîte.
2. Il m . . . . u . bonbon .
3. Le b . . . r . . . . . . un c . . .
4. Il t . . . . . le c . . .
5. L . fillette m . . . . u . . glace.
6. La f . . . . ferme une p . . . .

Corrigez:

1. Le garçon ferme la boîte.
2. Il mange une glace.
3. Le bébé touche le chat.
4. Le bébé touche un chien.
5. La fillette regarde la glace.
6. La femme ouvre la porte.

D. Où êtes-vous ? Ecoutez le professeur !

LE PROFESSEUR : Je suis le professeur. Pierre, **tu es** un élève. Marie, **tu es** une élève. Pierre et Marie, vous êtes des élèves. (*derrière le bureau*) Je suis derrière le bureau. Pierre, **tu es** derrière un pupitre. Pierre et Marie, vous êtes derrière des pupitres.

Dialogues

(*a*) LE PROFESSEUR : (*devant la porte*) Où suis-je ?
LA CLASSE : Vous êtes devant la porte, monsieur.
LE PROFESSEUR : (*devant le tableau noir*) Où suis-je ?
LA CLASSE : Vous êtes devant le tableau noir, monsieur.[1]

(*b*) LE PROFESSEUR : (*devant la porte*) Est-ce que je suis devant le tableau noir ?
LA CLASSE : Non monsieur, vous êtes devant la porte.
LE PROFESSEUR : (*sur le bureau*) Est-ce que je suis sous le bureau ?
LA CLASSE : Non monsieur, vous êtes sur le bureau.[1]

(*c*) PIERRE : (*devant la porte*) Jean, où suis-je ?
JEAN : Vous êtes devant la porte.
JEAN : (*devant le tableau noir*) Marie, où suis-je ?
MARIE : Vous êtes devant le tableau noir.[1]

(*d*) (*Pierre est devant la porte.*)
LE PROFESSEUR : (*à Pierre*) Où **es-tu,** Pierre ?
PIERRE : Je suis devant la porte, monsieur.
LE PROFESSEUR : (*à la classe*) Où est-il ?
LA CLASSE : Il est devant la porte, monsieur.
(*Marie est devant le placard.*)
LE PROFESSEUR : (*à Marie*) Où **es-tu,** Marie ?
MARIE : Je suis devant le placard, monsieur.
LE PROFESSEUR : (*à la classe*) Où est-elle ?
LA CLASSE : Elle est devant le placard, monsieur.[1]

(*e*) (*Pierre est devant la porte, Jean est sous un pupitre, Marie est sur une chaise, Jeanne est dans le couloir etc.*)
LE PROFESSEUR : (*à la classe*) Qui est devant la porte ?
LA CLASSE : Pierre est devant la porte, monsieur.
LE PROFESSEUR : (*à la classe*) Qui est sous le pupitre ?
LA CLASSE : Jean est sous le pupitre, monsieur.

[1] et ainsi de suite, voir p. 33.

1
5
2
6
MAUROIS
3
7
4
8

LEÇON 9

Ouvert et fermé

A.

1. Voici un **cahier**. Il est **fermé**.
2. Voici un livre. Il est **ouvert**.
3. Voici une porte. Elle est fermé**e**.
4. Voici une fenêtre. Elle est ouvert**e**.
5. Voici des cahiers. Ils sont ouvert**s**.
6. Voici des livres. Ils sont fermé**s**.
7. Voici des portes. Elles sont ouvert**es**.
8. Voici des fenêtres. Elles sont fermé**es**.

B. Répondez:

I. 1. (*a*) Est-ce que c'est un livre?
(*b*) Est-ce que le cahier est ouvert?
Non, il est f....

2. (*a*) Est-ce que c'est un cahier?
(*b*) Est-ce que le livre est fermé?

3. (*a*) Est-ce que c'est une chaise?
(*b*) Est-ce que la porte est ouverte?

4. (*a*) Est-ce que c'est une table?
(*b*) Est-ce que la fenêtre est fermée?

5. (*a*) Est-ce que **ce sont** des livres?
Non, ce sont des c......
(*b*) Est-ce que les cahiers sont fermés?

6. (*a*) Est-ce que ce sont des pupitres?
(*b*) Est-ce que les livres sont ouverts?

7. (*a*) Est-ce que ce sont des murs?
(*b*) Est-ce que les portes sont fermées?

8. (*a*) Est-ce que ce sont des serviettes?
(*b*) Est-ce que les fenêtres sont ouvertes?

II. 1, 5. (*a*) Combien de cahiers sont fermés?
Un cahier est f...
(*b*) Combien de cahiers sont ouverts?
Deux cahiers sont o......

2, 6. (*a*) Combien de livres sont ouverts?
(*b*) Combien de livres sont fermés?

3, 7. (*a*) Combien de portes sont fermées?
(*b*) Combien de portes sont ouvertes?

4, 8. (*a*) Combien de fenêtres sont ouvertes?
(*b*) Combien de fenêtres sont fermées?

III. 1. Est-ce que le cahier est ouvert **ou** fermé?
Il est f....

2. Est-ce que le livre est ouvert ou fermé?
3. Est-ce que la porte est ouverte ou fermée?
4. Est-ce que la fenêtre est ouverte ou fermée?
5. Est-ce que les cahiers sont ouverts ou fermés?
6. Est-ce que les livres sont ouverts ou fermés?
7. Est-ce que les portes sont ouvertes ou fermées?
8. Est-ce que les fenêtres sont ouvertes ou fermées?

C. Complétez:

1. Le c..... est f....
2. L. livre est o.....
3. L. porte e.. f.....
4. La f...... est o......
5. L.. cahiers sont o......
6. Les l..... sont f.....
7. L.. portes s... o.......
8. Les f....... sont f......

Corrigez:

1. C'est un cahier ouvert.
2. Ce sont des livres ouverts.
3. C'est une fenêtre fermée.
4. Ce sont des fenêtres ouvertes.
5. Ce sont des cahiers fermés.
6. C'est un livre fermé.
7. C'est une fenêtre ouverte.
8. Ce sont des portes ouvertes.

D. Qu'est-ce que je fais? Ecoutez le professeur!

LE PROFESSEUR : Regardez-moi! **Ecoutez**-moi! Qu'est-ce que **je fais?**

Je regarde la fenêtre.	Je regarde le placard.
Je touche la fenêtre.	Je touche le placard.
J'ouvre la fenêtre.	J'ouvre le placard.
Je ferme la fenêtre.	Je ferme le placard.[1]

Imitez le professeur!

PIERRE : (*Il touche un pupitre*) Regardez-moi! Qu'est-ce que je fais? Je touche un pupitre.

MARIE : (*Elle ouvre un pupitre*) Regardez-moi! Qu'est-ce que je fais? J'ouvre un pupitre.[1]

Dialogue

PIERRE : (*Il touche le mur*) Regardez-moi! Je touche le mur.

LE PROFESSEUR : (*à la classe*) Qu'est-ce qu'il fait?

LA CLASSE : Il touche le mur, monsieur.

MARIE : (*Elle ouvre la porte*) Regardez-moi! J'ouvre la porte.

LE PROFESSEUR : (*à la classe*) Est-ce qu'elle ferme la porte?

LA CLASSE : Non monsieur, elle ouvre la porte.

JEAN : (*Il ouvre un cahier*) Regardez-moi! J'ouvre le cahier.

LE PROFESSEUR : (*à la classe*) Est-ce que le cahier est fermé?

LA CLASSE : Non monsieur, il est ouvert.[1]

[1] Je touche / Je regarde { le pupitre/le mur/le tableau noir/le placard/la porte/la chaise/la fenêtre/la serviette/la table/la fillette/le garçon/l'élève/le professeur/le bureau/le livre/le cahier/le **crayon**/le **stylo**/la **règle**/la **gomme**/la **carte**.

J'ouvre / Je ferme { le pupitre/le placard/la porte/la fenêtre/le cahier/le livre/la serviette/la boîte.

1
PAUL
PIERRE
2
JACQUELINE
FRANÇOISE
3
JEAN
MARIE
4
JEANNE
GEORGES

LEÇON 10

Qu'est-ce qu'ils font?

A.

1. Voici deux garçons, Paul et Pierre.
Qu'est-ce que Paul fait ? Il mange un **gâteau**.
Qu'est-ce que Pierre fait ? Il mange un gâteau **aussi**.
Qu'est-ce que Paul et Pierre **font** ?
Ils mange**nt** des gâteau**x**.

2. Voici deux fillettes, Jacqueline et Françoise.
Qu'est-ce que Jacqueline fait ? Elle ouvre une boîte.
Qu'est-ce que Françoise fait ? Elle ouvre une boîte aussi.
Qu'est-ce que Jacqueline et Françoise font ?
Elles ouvre**nt** des boîtes.

3. Voici deux **enfants**, Jean et Marie.
Jean ferme un **rideau**. Marie aussi ferme un rideau.
Qu'est-ce que Jean et Marie font ?
Ils ferme**nt** des rideau**x**.

4. Voici deux enfants, Georges et Jeanne.
Georges regarde la **télévision**. Jeanne aussi regarde la télévision.
Qu'est-ce que Georges et Jeanne font ?
Ils regarde**nt** la télévision.

B. Répondez:

I. 1. (*a*) Est-ce que Paul mange une glace ?
Non, il mange un g . . . . .
(*b*) Qu'est-ce que Pierre mange ?

2. (*a*) Est-ce que Jacqueline ouvre une serviette ?
(*b*) Qu'est-ce que Françoise ouvre ?

3. (*a*) Est-ce que Jean ferme une fenêtre ?
(*b*) Qu'est-ce que Marie ferme ?

4. (*a*) Est-ce que Georges regarde le mur?
   (*b*) Qu'est-ce que Jeanne regarde?

II. 1. (*a*) Est-ce que Paul mange un bonbon?
   (*b*) Qu'est-ce que les garçons mangent?

2. (*a*) Est-ce que Jacqueline ouvre une fenêtre?
   (*b*) Qu'est-ce que les fillettes ouvrent?

3. (*a*) Est-ce que Marie ferme une porte?
   (*b*) Qu'est-ce que les enfants ferment?

4. (*a*) Est-ce que Georges regarde un livre?
   (*b*) Qu'est-ce que les enfants regardent?

III. 1. (*a*) Est-ce que les garçons touche**nt** les gâteaux?
   (*b*) Est-ce que Jean et Marie mangent des gâteaux?

2. (*a*) Est-ce que les fillettes ferment les boîtes?
   (*b*) Est-ce que Georges et Jeanne ouvrent des boîtes?

3. (*a*) Est-ce que les enfants ouvrent les rideaux?
   (*b*) Est-ce que Pierre et Paul ferment des rideaux?

4. (*a*) Est-ce que les enfants touchent la télévision?
   (*b*) Est-ce que Jacqueline et Françoise regardent la télévision?

IV. 1. Qui mange des gâteaux?
2. Qui ouvre des boîtes?
3. Qui ferme des rideaux?
4. Qui regarde la télévision?

C. Corrigez:

1. (*a*) Paul mange une pomme.
   (*b*) Pierre mange un bonbon.
   (*c*) Paul et Pierre mangent un gâteau.

2. (*a*) Jacqueline ouvre une porte.
   (*b*) Françoise ferme une boîte.
   (*c*) Jacqueline et Françoise ouvrent une boîte.

3. (*a*) Jean ferme une fenêtre.
   (*b*) Marie ouvre un rideau.
   (*c*) Jean et Marie ferment un rideau.

4. (*a*) Georges regarde Jeanne.
   (*b*) Jeanne touche la télévision.
   (*c*) Georges et Jeanne regardent des livres.

D. Qu'est-ce que vous faites? Ecoutez et obéissez!

(*a*) LE PROFESSEUR (*à la classe*): Regardez-moi!

Regardez la porte!
Regardez le tableau noir!
Regardez le **plafond!**
Regardez le **plancher!**

Pierre, **ouvre** la porte!
Jean, **ferme** la porte!
Marie, ouvre le placard!
Jeanne, ferme le placard!

Pierre, **touche** le placard!
Jean, touche la porte!
Marie, touche le plancher![1]

(*b*) LE PROFESSEUR: Pierre, ouvre la porte! (*Pierre ouvre la porte*) (*à Pierre*) **tu ouvres** la porte.

LE PROFESSEUR: Jean et Marie, ouvrez la fenêtre! (*à Jean et à Marie*) Vous ouvrez la fenêtre.

LE PROFESSEUR: Jeanne, ferme la porte! Pierre et Marie, fermez la fenêtre! (*à Jeanne*) **Tu fermes** la porte. (*à Pierre et à Marie*) **Vous fermez** la fenêtre.[1]

Dialogues

(*a*) LE PROFESSEUR: (*Il touche le mur*)[1] Qu'est-ce que je fais?
LA CLASSE: **Vous touchez** le mur, monsieur.

(*b*) LE PROFESSEUR: (*Il touche la porte*)[1] Est-ce que je touche le mur?
LA CLASSE: Non monsieur, vous touchez la porte.

(*c*) LE PROFESSEUR: Pierre, touchez le plancher! Qu'est-ce que **tu fais**?
PIERRE: Je touche le plancher, monsieur.[1]

[1] et ainsi de suite, voir p. 41.

1
2
F
3
GARE
4
ÉCOLE
5
6

LEÇON 11

En ville

A.

1. Voici un garçon. Voici une **maison**.
Où est-ce que le garçon **va**? Il va **à** la maison.
Qu'est-ce qu'il **porte**? Il porte un panier.

2. Voici une auto. Voici une **ville**.
Où est-ce que l'auto va? Elle va à la ville.

3. Voici un homme. Voici une **gare**.
Où est-ce que l'homme va? Il va à la gare.
Il porte une **valise**.

4. Voici une femme. Voici une **église**.
Où est-ce que la femme va? Elle va à l'église.
Elle porte un **sac**.

5. Voici une **ambulance**. Voici un **hôpital**.
Où est-ce que l'ambulance va? Elle va à l'hôpital.

6. Voici un élève. Voici une **école**.
Où est-ce que l'élève va? Il va à l'école.

B. Répondez:

I. 1. (*a*) Est-ce que c'est un homme?
(*b*) Où est-ce qu'il va?
2. (*a*) Est-ce que c'est une ambulance?
(*b*) Où est-ce qu'elle va?
3. (*a*) Est-ce que c'est une femme?
(*b*) Où est-ce qu'il va?
4. (*a*) Est-ce que c'est un homme?
(*b*) Où est-ce qu'elle va?
5. (*a*) Est-ce que c'est une auto?
(*b*) Où est-ce qu'elle va?
6. (*a*) Est-ce que c'est une élève?
(*b*) Où est-ce qu'il va?

II. 1. (*a*) Est-ce que le garçon va à une école?
Non, il va à une m . . . . .
(*b*) Est-ce qu'il porte une serviette?
2. (*a*) Est-ce que l'auto va à une gare?
(*b*) Qui est dans l'auto?
3. (*a*) Est-ce que l'homme va à un hôpital?
(*b*) Qu'est-ce qu'il porte?
4. (*a*) Est-ce que la femme va à une maison?
(*b*) Qu'est-ce qu'elle porte?
5. Est-ce que l'ambulance va à une ville?
6. (*a*) Est-ce que l'élève va à une église?
(*b*) Qu'est-ce que l'élève porte?

III. 1. (*a*) Qui va à la maison? (*b*) Qu'est-ce qu'il y a sur le toit? (*c*) Combien d'arbres est-ce qu'il y a? (*d*) Combien de fenêtres est-ce qu'il y a dans la maison?
2. (*a*) Est-ce qu'il y a un chien dans l'auto? (*b*) Combien de maisons est-ce qu'il y a dans la ville?
3. (*a*) Qui va à la gare? (*b*) Où est l'homme?
4. (*a*) Qui va à l'église? (*b*) Qu'est-ce qu'elle porte?
5. (*a*) Combien de fenêtres est-ce qu'il y a dans l'hôpital?
(*b*) Combien de fenêtres sont ouvertes?
6. (*a*) Qui va à l'école? (*b*) Qu'est-ce qu'il porte?
(*c*) Est-ce que la porte est fermée?

IV. 1. Qu'est-ce que le garçon fait?
Il va à la m . . . . .
2. Qu'est-ce que l'auto fait?
3. Qu'est-ce que l'homme fait?
4. Qu'est-ce que la femme fait?
5. Qu'est-ce que l'ambulance fait?
6. Qu'est-ce que l'élève fait?

C. Corrigez:

1. (*a*) Un homme va à la maison. (*b*) Il porte un sac.
2. (*a*) Une auto va à la gare. (*b*) Il y a six bébés dans l'auto.
3. (*a*) Un garçon va à la gare. (*b*) Il porte un panier.
4. (*a*) Un homme va à l'église. (*b*) Elle porte une valise.
5. (*a*) Une auto va à l'hôpital. (*b*) La porte est fermée.
6. (*a*) Un professeur va à l'école. (*b*) Il porte une valise.

D. Où sommes-nous? Ecoutez le professeur!

(*Le professeur et Pierre sont derrière le bureau.*)

LE PROFESSEUR: (*à la classe*) Pierre et moi, **nous sommes** derrière le bureau.

(*Ils sont devant la porte.*)

LE PROFESSEUR: **Maintenant**, où sommes-nous? Nous sommes devant la porte.

(*Ils sont devant le tableau noir.*)

LE PROFESSEUR: Et maintenant, nous sommes devant le tableau.

Dialogues

(*a*) (*Le professeur et Pierre sont derrière le bureau.*)

LE PROFESSEUR: (*à la classe*) Où sommes-nous?

LA CLASSE: Vous êtes derrière le bureau, monsieur.

(*Ils sont devant la porte.*)

LE PROFESSEUR: Et maintenant, où sommes-nous?

LA CLASSE: Vous êtes devant la porte, monsieur.[1]

(*b*) (*Pierre et Marie sont derrière le bureau.*)

PIERRE: Jean, est-ce que nous sommes devant la porte?

JEAN: Non, vous êtes derrière le bureau.

(*Marie et Jean sont devant le tableau.*)

MARIE: Jeanne, est-ce que nous sommes devant le mur?

JEANNE: Non, vous êtes devant le tableau.[1]

(*c*) LE PROFESSEUR: Pierre et Marie, **allez** derrière le bureau! Où êtes-vous?

PIERRE, MARIE: Nous sommes derrière le bureau, monsieur.

LE PROFESSEUR: Jean et Jeanne, allez devant la porte! Où êtes-vous?

JEAN, JEANNE: Nous sommes devant la porte, monsieur.[1]

[1] et ainsi de suite, voir p. 33.

1
AU REVOIR!
2
BONJOUR!
3
FILLES
4
5
AU REVOIR!
6

LEÇON 12

Les fillettes vont à l'école

A.

1. Voici Jacqueline. Qu'est-ce qu'elle fait? Elle **quitte** la maison. Elle **dit 'Au revoir'** à Paul. Où est-ce qu'elle va? Elle va à l'école.

2. Jacqueline **rencontre** Françoise dans la rue. Elle dit '**Bonjour**' à Françoise. Françoise dit 'Bonjour' à Jacqueline.

3. Jacqueline va à l'école. Françoise aussi va à l'école. Les deux fillettes **vont** à l'école. Jacqueline **marche** sur le **trottoir**. Françoise aussi marche sur le trottoir. Les deux fillettes march**ent** sur le trottoir.

4. Jacqueline **arrive** à l'école. Françoise aussi arrive à l'école. Jacqueline et Françoise arriv**ent** à l'école. Elles rencontr**ent** une **amie** dans la **cour**. Elles **disent** 'Bonjour' à l'amie.

5. Maintenant Jacqueline quitte l'école. Françoise et une amie quitt**ent** l'école aussi. Les trois fillettes disent 'Au revoir' à la **maîtresse**.

6. Jacqueline arrive à la maison. Elle ouvre la porte. Elle **entre** dans la maison.

B. Répondez:

I. 1. (*a*) Est-ce que Jacqueline arrive à la maison?
(*b*) Est-ce qu'elle va à la gare?

2. (*a*) Est-ce que Jacqueline rencontre Pierre dans la rue?
(*b*) Est-ce qu'elle dit 'Au revoir' à Françoise?

3. (*a*) Est-ce que les fillettes vont à l'église?
(*b*) Est-ce qu'elles marchent sur le mur?

4. (*a*) Est-ce que les fillettes quittent l'école?
(*b*) Est-ce qu'elles rencontrent l'amie dans la rue?

5. (*a*) Est-ce que Jacqueline arrive maintenant à l'école?
(*b*) Est-ce que les fillettes disent 'Bonjour' à la maîtresse?

6. (*a*) Est-ce que Jacqueline quitte la maison?
(*b*) Est-ce qu'elle ferme la porte?

II. 1. (*a*) Qui quitte la maison? (*b*) Qu'est-ce que Jacqueline dit à Paul? (*c*) Qu'est-ce que Jacqueline porte?

2. (*a*) Qui rencontre Françoise? (*b*) Qu'est-ce que Françoise dit à Jacqueline? (*c*) Est-ce que Françoise porte une valise?

3. (*a*) Qui va à l'école? (*b*) Qui marche sur le trottoir?

4. (*a*) Qui arrive à l'école? (*b*) Qui dit 'Bonjour' à Jacqueline et à Françoise? (*c*) Est-ce que les fillettes sont dans la rue?

5. (*a*) Qui quitte l'école? (*b*) Qu'est-ce qu'elles disent à la maîtresse? (*c*) Est-ce que la porte est fermée?

6. (*a*) Qu'est-ce que Jacqueline ouvre? (*b*) Est-ce qu'elle arrive à l'école?

III. 1. (*a*) Où est Paul? (*b*) Où est Jacqueline? (*c*) Qu'est-ce que Jacqueline fait? (*d*) Où est-ce qu'elle va?

2. (*a*) Où est Jacqueline maintenant? (*b*) Où est Françoise? (*c*) Qu'est-ce que Jacqueline fait? (*d*) Qu'est-ce que Françoise fait?

3. (*a*) Où sont Jacqueline et Françoise? (*b*) Qu'est-ce qu'elles font? (*c*) Où est-ce qu'elles vont?

4. (*a*) Où sont les fillettes maintenant? (*b*) Qu'est-ce que l'amie fait? (*c*) Qu'est-ce que Jacqueline et Françoise font?

5. (*a*) Où est la maîtresse? (*b*) Qu'est-ce qu'elle fait?
(*c*) Qu'est-ce que les fillettes font?

6. (*a*) Où est Jacqueline? (*b*) Qu'est-ce qu'elle fait?

C. Corrigez:

1. Jacqueline entre dans la maison. Elle dit 'Bonjour' à Paul.
2. Jacqueline rencontre Françoise dans la cour.
3. Une fillette va à l'école. Elle marche sur le trottoir.
4. Il y a quatre fillettes dans la cour.
5. Un garçon dit 'Au revoir' à la maîtresse.
6. Jacqueline arrive à la gare. Elle porte une valise.

D. Regardez et écoutez le professeur!

LE PROFESSEUR: **J'entre** dans la salle de classe. Je ferme la porte. **Je dis** 'Bonjour' à la classe. J'ouvre la porte. Je dis 'Au revoir' à la classe. **Je quitte** la salle de classe. (*à un(e) élève*) Ouvre la porte! **Dis** 'Au revoir' à la classe! **Tu dis** 'Au revoir' à la classe. **Quitte** la salle de classe!

Entre dans la salle de classe! **Tu entres** dans la salle de classe. Ferme la porte! Dis 'Bonjour' à la classe!

Dialogues

(*a*) LE PROFESSEUR: Pierre, ouvre la porte! Qu'est-ce que tu fais?

PIERRE: J'ouvre la porte, monsieur.

LE PROFESSEUR: Maintenant, dis 'Au revoir' à la classe, quitte la salle de classe et ferme la porte, **s'il te plaît!** Qu'est-ce que tu fais?

(*Répétez avec Marie, Jean, Jeanne etc.*)

(*b*) (*Les élèves sont dans le couloir. Le professeur ouvre la porte.*)

LE PROFESSEUR: Pierre, entre dans la salle, dis 'Bonjour' à la classe et ferme la porte, s'il te plaît! Qu'est-ce que tu fais?

(*Répétez avec Marie, Jean, Jeanne etc.*)

(*c*) LE PROFESSEUR: (*Il entre dans la salle de classe*) Est-ce que je quitte la salle?

LA CLASSE: Non monsieur, **vous entrez** dans la salle.

LE PROFESSEUR: (*Il dit 'Bonjour'*) Qu'est-ce que je dis?

LA CLASSE: **Vous dites** 'Bonjour', monsieur.

LE PROFESSEUR: (*Il ouvre la porte et dit 'Au revoir'*) Et maintenant, qu'est-ce que je dis?

LA CLASSE: Vous dites 'Au revoir', monsieur.

LE PROFESSEUR: (*Il quitte la salle de classe*) Maintenant, est-ce que j'entre dans la salle?

LA CLASSE: Non monsieur, **vous quittez** la salle.

1

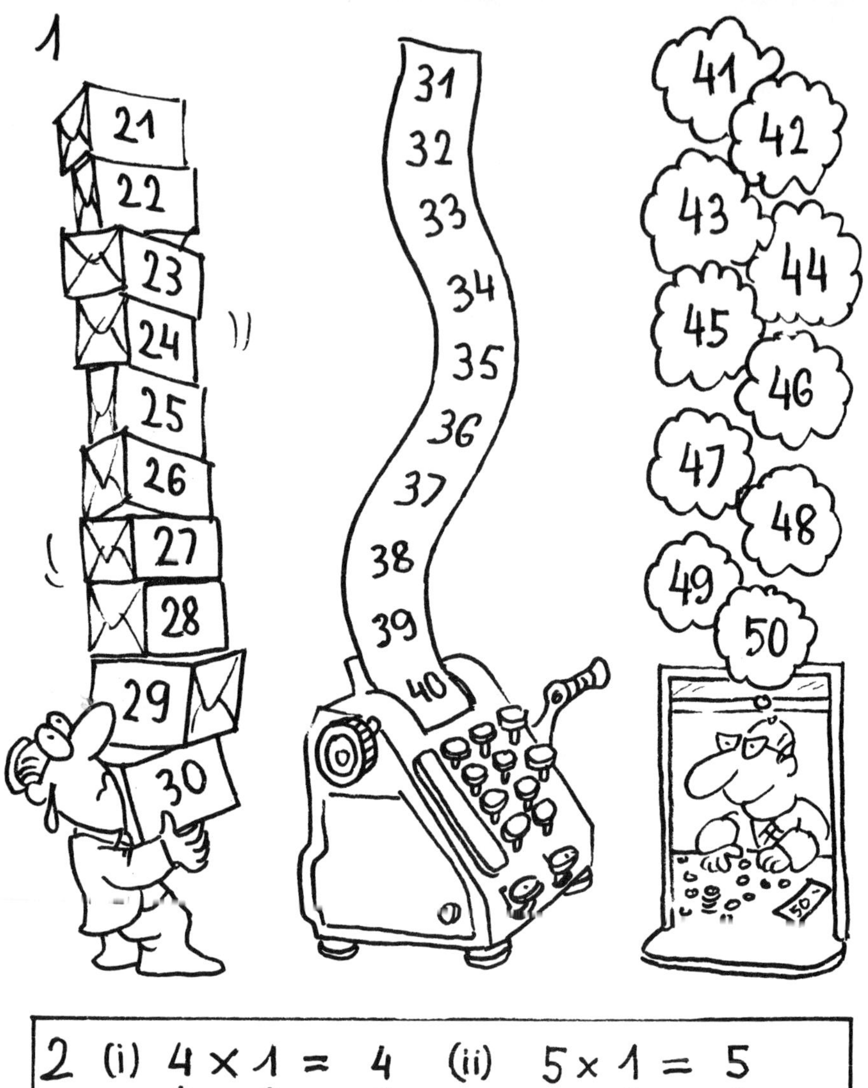

2 (i)

$4 \times 1 = 4$
$4 \times 2 = 8$
$4 \times 3 = 12$
$4 \times 4 = 16$
$4 \times 5 = 20$
$4 \times 6 = 24$
$4 \times 7 = 28$
$4 \times 8 = 32$
$4 \times 9 = 36$
$4 \times 10 = 40$

(ii)

$5 \times 1 = 5$
$5 \times 2 = 10$
$5 \times 3 = 15$
$5 \times 4 = 20$
$5 \times 5 = 25$
$5 \times 6 = 30$
$5 \times 7 = 35$
$5 \times 8 = 40$
$5 \times 9 = 45$
$5 \times 10 = 50$

LEÇON 13

Encore des nombres

A.

1.

vingt et un	**trente et un**	**quarante et un**
vingt-deux	trente-deux	quarante-deux
vingt-trois	trente-trois	quarante-trois
vingt-quatre	trente-quatre	quarante-quatre
vingt-cinq	trente-cinq	quarante-cinq
vingt-six	trente-six	quarante-six
vingt-sept	trente-sept	quarante-sept
vingt-huit	trente-huit	quarante-huit
vingt-neuf	trente-neuf	quarante-neuf
trente	**quarante**	**cinquante**

2. (i) Quatre **fois** un font quatre.
Quatre fois deux font huit.
Quatre fois trois font douze.
Quatre fois quatre font seize.
Quatre fois cinq font vingt.
Quatre fois six font vingt-quatre.
Quatre fois sept font vingt-huit.
Quatre fois huit font trente-deux.
Quatre fois neuf font trente-six.
Quatre fois dix font quarante.

(ii) Cinq fois un font cinq.
Cinq fois deux font dix.
Cinq fois trois font quinze.
Cinq fois quatre font vingt.
Cinq fois cinq font vingt-cinq.
Cinq fois six font trente.
Cinq fois sept font trente-cinq.
Cinq fois huit font quarante.
Cinq fois neuf font quarante-cinq.
Cinq fois dix font cinquante.

B. Répondez:

I. (*a*) Combien font cinq et cinq ?
(*b*) Combien font cinq fois cinq ?
(*c*) Combien font quatre et six ?
(*d*) Combien font quatre fois six ?
(*e*) Combien font cinq et neuf ?
(*f*) Combien font cinq fois neuf ?
(*g*) Combien font deux et quinze ?
(*h*) Combien font deux fois quinze ?
(*i*) Combien font quatre et dix ?
(*j*) Combien font quatre fois dix ?

II. (*a*) Est-ce que dix et douze font vingt-huit ?
(*b*) Est-ce que trois fois dix font trente ?
(*c*) Est-ce que quinze et douze font vingt-sept ?
(*d*) Est-ce que quatre fois neuf font quarante ?
(*e*) Est-ce que vingt-neuf et quinze font dix-huit ?
(*f*) Est-ce que vingt et vingt font quarante ?
(*g*) Est-ce que quatre fois onze font quarante-six ?
(*h*) Est-ce que trois fois douze font trente-six ?
(*i*) Est-ce que seize et treize font trente ?
(*j*) Est-ce que deux fois quatorze font vingt-sept ?

C. Additionnez:

(*a*) $21+24=$
(*b*) $17+15=$
(*c*) $30+19=$
(*d*) $16+16=$
(*e*) $28+11=$
(*f*) $33+13=$
(*g*) $14+34=$
(*h*) $15+25=$
(*i*) $30+20=$
(*j*) $18+19=$

Multipliez:

(*a*) $3\times15=$
(*b*) $6\times4=$
(*c*) $4\times10=$
(*d*) $6\times7=$
(*e*) $2\times25=$
(*f*) $4\times8=$
(*g*) $3\times11=$
(*h*) $7\times7=$
(*i*) $6\times5=$
(*j*) $12\times4=$

Comptez dans la salle de classe! Combien est-ce qu'il y a (*a*) d'élèves ? (*b*) de pupitres ? (*c*) de murs ? (*d*) de fenêtres ? (*e*) de chaises ? (*f*) de portes ?

D. Qu'est-ce que nous faisons? Regardez et écoutez le professeur!

(*Le professeur et un(e) élève entrent dans la salle.*)

LE PROFESSEUR: (*à la classe*) Qu'est-ce que **nous faisons**, Pierre et moi? Il entre dans la salle. Moi aussi, j'entre dans la salle. Pierre et moi, **nous entrons** dans la salle.
(*Pierre et le professeur marchent.*)

LE PROFESSEUR: Maintenant, qu'est-ce que nous faisons? **Je marche.** Pierre marche. Pierre et moi, **nous marchons.**
(*Pierre et le professeur touchent le mur.*)

LE PROFESSEUR: Et maintenant, qu'est-ce que nous faisons? Pierre et moi, **nous touchons** le mur.
(*Pierre et le professeur ouvrent les fenêtres.*)

LE PROFESSEUR: Et maintenant, **nous ouvrons** les fenêtres.
(*Pierre et le professeur ferment les fenêtres.*)

LE PROFESSEUR: Et maintenant, **nous fermons** les fenêtres.

Dialogues

(*a*) (*Le professeur et un(e) élève touchent le tableau noir.*)

LE PROFESSEUR: (*à la classe*) Est-ce que nous touchons le mur?

LA CLASSE: Non monsieur, vous touchez le tableau noir.
(*Le professeur et un(e) élève ouvrent le placard.*)

LE PROFESSEUR: (*à la classe*) Est-ce que nous ouvrons la porte?

LA CLASSE: Non monsieur, vous ouvrez le placard.[1]

(*b*) LE PROFESSEUR: Pierre et Marie! **Marchez!**
Qu'est-ce que vous faites?

PIERRE, MARIE: Nous marchons, monsieur.

PIERRE: Jean et Jeanne! Touchez le bureau!
Qu'est-ce que vous faites?

JEAN, JEANNE: Nous touchons le bureau, monsieur.

JEAN: Marie et Jeanne! Ouvrez la porte!
Qu'est-ce que vous faites?

MARIE, JEANNE: Nous ouvrons la porte, monsieur.[1]

[1] et ainsi de suite, voir p. 41.

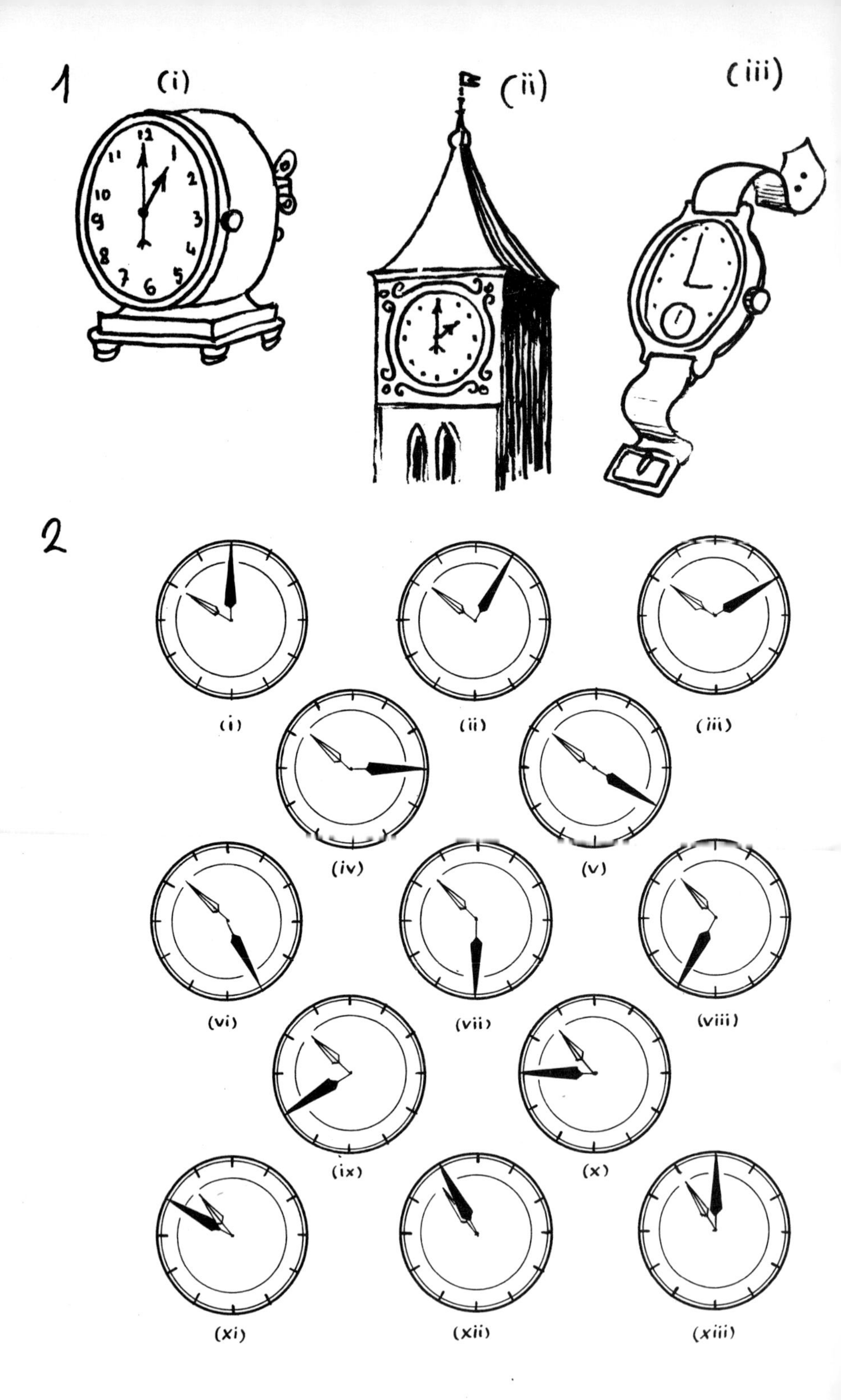
1
(i)
12
11
1
10
2
9
3
8
4
7
6
5
(ii)
(iii)
2
(i)
(ii)
(iii)
(iv)
(v)
(vi)
(vii)
(viii)
(ix)
(x)
(xi)
(xii)
(xiii)

LEÇON 14

Quelle heure est-il?

A.

1. (i) Voici une **pendule**.
   Quelle heure est-il à la pendule ? Il est une heure.

   (ii) Voici une **horloge**.
   Quelle heure est-il à l'horloge ? Il est deux heures.

   (iii) Voici une **montre**.
   Quelle heure est-il à la montre ? Il est trois heures.

2. Quelle heure est-il ?
   (i) Il est dix heures.
   (ii) Il est dix heures cinq.
   (iii) Il est dix heures dix.
   (iv) Il est dix heures **et quart**.
   (v) Il est dix heures vingt.
   (vi) Il est dix heures vingt-cinq.
   (vii) Il est dix heures **et demie**.
   (viii) Il est **onze** heures **moins** vingt-cinq.
   (ix) Il est onze heures moins vingt.
   (x) Il est onze heures moins **le quart**.
   (xi) Il est onze heures moins dix.
   (xii) Il est onze heures moins cinq.
   (xiii) Il est onze heures.

B. Répondez:

I. Quelle heure est-il ?

(*a*) 7.05 (*b*) 7.10 (*c*) 7.15 (*d*) 8.20 (*e*) 8.25 (*f*) 8.30
(*g*) 9.35 (*h*) 9.40 (*i*) 9.45 (*j*) 10.50 (*k*) 10.55 (*l*) 11.00
(*m*) 6.10 (*n*) 2.20 (*o*) 3.50 (*p*) 8.40 (*q*) 1.45 (*r*) 7.55
(*s*) 2.15 (*t*) 4.40 (*u*) 1.55 (*v*) 2.30 (*w*) 11.30 (*x*) 4.15.

II. Quelle heure est-il ?

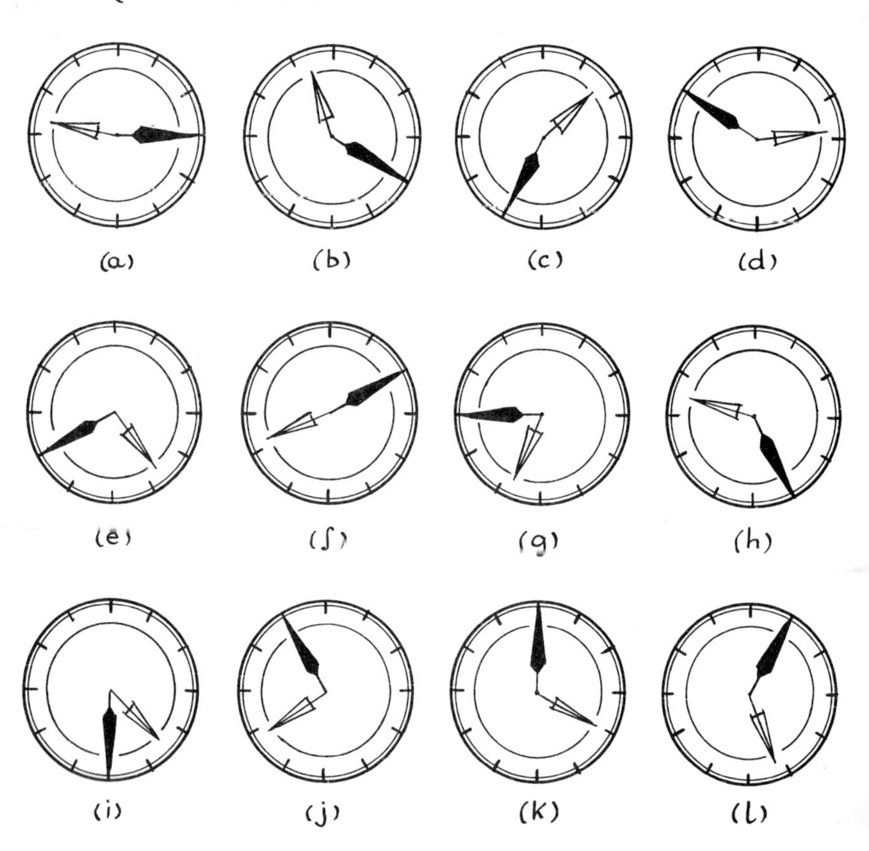

C. Complétez:

(*a*) Je quitte la maison à . . . (*b*) **J'arrive** à l'école à . . . (*c*) J'entre dans la salle de classe à . . . (*d*) Je quitte la salle de classe à . . . (*e*) Je quitte l'école à . . . (*f*) J'arrive à la maison à . . .

D. Ecoutez le professeur!

(*Le professeur et un(e) élève regardent la pendule.*)

LE PROFESSEUR: (*à la classe*) Pierre et moi, **nous regardons** la pendule.

(*Ils regardent le plafond.*)

Et maintenant, nous regardons le plafond.[1]

Dialogues

(*a*) (*Des élèves regardent la pendule.*)

LES ÉLÈVES: Qu'est-ce que nous faisons, monsieur?

LE PROFESSEUR: **Vous regardez** le tableau noir.

LES ÉLÈVES: Non monsieur, nous regardons la pendule.

(*Des élèves regardent le plafond.*)

LES ÉLÈVES: Qu'est-ce que nous faisons, monsieur?

LE PROFESSEUR: Vous regardez le plancher.

LES ÉLÈVES: Non monsieur, nous regardons le plafond.[1]

(*b*) LE PROFESSEUR: Pierre, à quelle heure est-ce que **tu quittes** la maison?

PIERRE: Je quitte la maison à . . ., monsieur.

LE PROFESSEUR: Marie, à quelle heure est-ce que **tu quittes** la maison?

MARIE: Je quitte la maison à . . ., monsieur.

(*c*) LE PROFESSEUR: Pierre, à quelle heure est-ce que **tu arrives** à l'école?

PIERRE: J'arrive à l'école à . . ., monsieur.

LE PROFESSEUR: Marie, à quelle heure est-ce que tu arrives à l'école?

MARIE: J'arrive à l'école à . . ., monsieur.

(*d*) LE PROFESSEUR: Pierre, à quelle heure est-ce que **tu entres** dans la salle de classe?

PIERRE: J'entre dans la salle de classe à . . ., monsieur.

LE PROFESSEUR: Et vous Marie, à quelle heure est-ce que tu entres dans la salle de classe?

MARIE: J'entre dans la salle de classe à . . ., monsieur.

[1] et ainsi de suite, voir p. 41.

1

2
LIVRES

3
POLICE

CAFÉ
CHEZ LOUIS
4

5
CINÉMA

6
POSTES
TELECO

LEÇON 15

Les gens en ville

A.

1. Voici une **dame**. Voici un **marché**.
   La dame va **au** marché.

2. Voici un **monsieur**. Voici un **magasin.**
   Le monsieur va au magasin.

3. Voici un **agent**. Voici un **poste de police.**
   L'agent va au poste de police.

4. Voici deux **messieurs**. Voici un **café**.
   Les messieurs vont au café.

5. Voici des **gens**; des messieurs, des dames et des enfants. Voici un **cinéma**.
   Les gens vont au cinéma.

6. Voici des gens; un monsieur, deux fillettes et une **religieuse**. Voici un **bureau de poste**.
   Les gens vont au bureau de poste.

B. Répondez:

I.
1. Qui va au marché?
2. Où va le monsieur?
3. Qui va au poste de police?
4. Où vont les messieurs?
5. Qui va au cinéma?
6. Où vont les gens?

II.
1. Où va la dame?
2. Qui va au magasin?
3. Où va l'agent?
4. Qui va au café?
5. Où vont les enfants?
6. Qui va au bureau de poste?

III.
1. (*a*) Est-ce que la dame va au cinéma? (*b*) Où est la dame?
2. (*a*) Est-ce que le monsieur va à la gare? (*b*) Où est-il?
3. (*a*) Est-ce que l'agent va au marché? (*b*) Où est-il?
4. (*a*) Est-ce que les messieurs vont au bureau de poste? (*b*) Où sont-ils?
5. (*a*) Est-ce que les gens vont à l'hôpital? (*b*) Où sont-ils?
6. (*a*) Est-ce que les gens vont à l'église? (*b*) Où sont-ils?

IV.
1. (*a*) Qu'est-ce que la dame fait? (*b*) Qu'est-ce qu'elle porte?
2. (*a*) Qu'est-ce que le monsieur fait? (*b*) Qu'est-ce qu'il y a dans le magasin?
3. (*a*) Est-ce qu'il y a deux agents dans la rue? (*b*) Qu'est-ce que l'agent fait?
4. (*a*) Qu'est-ce que les messieurs font? (*b*) Combien de gens est-ce qu'il y a au café?
5. (*a*) Qu'est-ce que les gens font? (*b*) Combien de gens vont au cinéma?
6. (*a*) Qu'est-ce que les gens font? (*b*) Combien de religieuses vont au bureau de poste?

C. Corrigez:

1. (*a*) Des dames vont au marché. (*b*) Elle porte un panier.
2. (*a*) Le monsieur va à l'église. (*b*) Dans le magasin il y a un livre.
3. Des agents arrivent au poste de police.
4. (*a*) Un monsieur va au café. (*b*) Le café est fermé.
5. Un monsieur, une dame et un enfant quittent le cinéma.
6. (*a*) La religieuse marche sur le trottoir. (*b*) Les gens sont dans le bureau de poste.

D. Regardez et écoutez le professeur!

(*a*) LE PROFESSEUR: **Je vais** à la porte. J'arrive à la porte. Je quitte la porte. Je vais au tableau. J'arrive au tableau. Je quitte le tableau. Je vais au placard. J'arrive au placard.

(*b*) LE PROFESSEUR ET PIERRE: **Nous allons** à la porte. **Nous arrivons** à la porte. **Nous quittons** la porte. Nous allons au tableau. Nous arrivons au tableau. Nous quittons le tableau. Nous allons au placard. Nous arrivons au placard.

(*c*) LE PROFESSEUR: Pierre! **Va** à la porte! **Tu vas** à la porte. Tu arrives à la porte.

Maintenant, quitte la porte et va au tableau! Tu quittes la porte et tu vas au tableau.

Dialogues

(*a*) LE PROFESSEUR: Pierre, va à la porte! Où **vas-tu**?
PIERRE: Je vais à la porte, monsieur.
LE PROFESSEUR: Marie, va au tableau! Où vas-tu?
MARIE: Je vais au tableau, monsieur.

(*b*) (*Pierre et Marie vont à la porte.*)
LE PROFESSEUR: Où **allez-vous**?
PIERRE, MARIE: Nous allons à la porte, monsieur.
(*Jean et Jeanne vont au tableau.*)
LE PROFESSEUR: Où allez-vous?
JEAN, JEANNE: Nous allons au tableau, monsieur.

(*c*) LE PROFESSEUR: (*Il va à la porte*) Est-ce que je vais au mur?
LA CLASSE: Non monsieur, vous allez à la porte.
LE PROFESSEUR: (*Il va au tableau*) Est-ce que je vais au bureau?
LA CLASSE: Non monsieur, vous allez au tableau.

(*d*) DES ÉLÈVES: (*Ils vont à la porte*) Où allons-nous, monsieur?
LE PROFESSEUR: Vous allez à la fenêtre.
LES ÉLÈVES: Non monsieur, nous allons à la porte.
DES ÉLÈVES: (*Ils vont au bureau*) Où allons-nous, monsieur?
LE PROFESSEUR: Vous allez à la fenêtre.
LES ÉLÈVES: Non monsieur, nous allons au bureau.

(*e*) LE PROFESSEUR: (*Il quitte la salle de classe*) Est-ce que j'entre dans la salle?
LA CLASSE: Non monsieur, vous quittez la salle.
LE PROFESSEUR: Où est-ce que je vais?
LA CLASSE: Vous allez dans le couloir, monsieur.
LE PROFESSEUR: (*Il entre dans la salle*) Et maintenant, est-ce que je quitte la salle?
LA CLASSE: Non monsieur, vous entrez dans la salle.

1
MICHEL
GEORGES
2
$=a^2+2ab+b^2$
$(a+b)^3=a+$
$(a^2+b$
3
$2ab+b^2$
$b+b^3$

LEÇON 16

Georges et Michel ne travaillent pas

A.

1. Voici Michel, Georges et des **camarades**. Est-ce qu'ils sont à l'école? Non, ils **ne** sont **pas** à l'école. Ils sont au **collège**. Ils sont **en** classe.

   Qu'est-ce qu'ils font en classe? Ils **travaillent**. Et Georges, est-ce qu'il **travaille**? Non, il ne travaille pas. Il **parle**. Il parle à Michel.

   Et Michel, est-ce qu'il travaille? Non, il ne travaille pas **non plus**. Il parle à Georges. Georges et Michel ne travaillent pas. Ils **parlent** en classe.

2. Voici le professeur devant le tableau noir. Qu'est-ce qu'il fait? Il **écrit**. Il écrit au tableau.

   Et les élèves, est-ce qu'ils **écrivent**? Oui, ils écrivent. Est-ce qu'ils écrivent au tableau? Non, ils **n'**écrivent pas au tableau. Ils écrivent sur des cahiers.

   Et Georges et Michel, est-ce qu'ils écrivent? Non, ils n'écrivent pas. Ils parlent.

3. Regardez le professeur maintenant! Il n'écrit pas. Il regarde les élèves. Il regarde Georges et Michel. Il n'est pas **content**. Il est **fâché**. Il est **très** fâché.

B. Répondez:

I. 1. (*a*) Est-ce que les élèves sont au cinéma?
Non, ils . . sont . . . au cinéma. Ils sont au c . . . . . .
(*b*) Est-ce qu'ils sont dans la cour? (*c*) Est-ce que Georges et Michel travaillent?

2. (*a*) Est-ce que le professeur parle? (*b*) Est-ce qu'il regarde les élèves? (*c*) Est-ce que Georges et Michel écrivent?

3. (*a*) Est-ce que le professeur regarde le tableau? (*b*) Est-ce qu'il est content? (*c*) Est-ce que Georges parle maintenant? (*d*) Est-ce que Michel travaille?

II. 1. (*a*) Est-ce que les élèves sont à la maison ? (*b*) Est-ce qu'ils regardent le tableau noir ? (*c*) Qui ne travaille pas en classe ?

2. (*a*) Est-ce que le professeur écrit sur un cahier ? (*b*) Est-ce que Georges écrit ? (*c*) Est-ce que le professeur travaille ? (*d*) Combien d'élèves est-ce qu'il y a dans la salle de classe ?

3. (*a*) Est-ce que Georges et Michel parlent maintenant ? (*b*) Est-ce que le professeur écrit au tableau ? (*c*) Qui n'est pas content ?

III. 1. (*a*) Où sont les élèves ? (*b*) Qui parle à Georges ? (*c*) Qu'est-ce que Georges fait ? (*d*) Qu'est-ce que Georges et Michel font ?

2. (*a*) Où est le professeur ? (*b*) Où est-ce qu'il écrit ? (*c*) Est-ce que les élèves écrivent au tableau ? (*d*) Combien d'élèves écrivent ? (*e*) Combien d'élèves n'écrivent pas ?

3. (*a*) Qui regarde Georges et Michel ? (*b*) Qui est fâché ? (*c*) Est-ce que les élèves travaillent maintenant ?

C. Corrigez, en employant *ne . . . pas* ou *n' . . . pas*:

1. (*a*) Les élèves sont à l'école. (*b*) Georges travaille. (*c*) Michel regarde le tableau noir.

2. (*a*) Le professeur regarde les élèves. (*b*) Le professeur écrit sur un cahier. (*c*) Les élèves écrivent au tableau. (*d*) Michel travaille. (*e*) Georges parle au professeur.

3. (*a*) Le professeur regarde le tableau noir. (*b*) Le professeur est content.

D. Regardez et écoutez le professeur !

LE PROFESSEUR: (*Il écrit au tableau*) Qu'est-ce que je fais ? **J'écris** au tableau, **n'est-ce pas** ? (*Il écrit 2+2=4*) Et qu'est-ce que j'écris au tableau ? J'écris deux et deux font quatre, n'est-ce pas ? (*Il écrit 10+5=15*) Et maintenant, j'écris dix et cinq font quinze, n'est-ce pas ?

LE PROFESSEUR ET UN(E) ÉLÈVE: (*Ils écrivent 2+2=4 au tableau*) Qu'est-ce que nous faisons ? Pierre et moi, **nous écrivons** au tableau et nous écrivons deux et deux font quatre, n'est-ce pas ? (*Ils écrivent 10+5=15*) Et maintenant, nous écrivons dix et cinq font quinze, n'est-ce pas ?

Dialogues

(*a*) LE PROFESSEUR: Pierre, va au tableau! **Ecris** au tableau! Qu'est-ce que tu fais?

PIERRE: J'écris au tableau, monsieur.

LE PROFESSEUR: Et qu'est-ce que **tu écris** au tableau?

PIERRE: J'écris . . ., monsieur.

LE PROFESSEUR: (*à la classe*) Et vous, est-ce que **vous écrivez**?

LA CLASSE: Non monsieur, nous n'écrivons pas.

(*b*) LE PROFESSEUR: (*à la classe; il écrit* $3+6=9$ *au tableau.*) Est-ce que j'écris deux et deux font quatre?

LA CLASSE: Non monsieur, vous écrivez trois et six font neuf.

LE PROFESSEUR: (*Il écrit* $4 \times 10 = 40$) Et maintenant, est-ce que j'écris trois et six font neuf?

LA CLASSE: Non monsieur, vous écrivez quatre fois dix font quarante.

(*c*) LE PROFESSEUR: (*à Pierre*) Bonjour, Pierre.

PIERRE: (*au professeur*) Bonjour, monsieur.

LE PROFESSEUR: (*à la classe*) **Je parle** à Pierre. Pierre et moi, **nous parlons. Mais vous** ne **parlez** pas.
(*Il écrit*) Et maintenant, est-ce que je parle?

LA CLASSE: Non monsieur, vous ne parlez pas. Vous écrivez.

LE PROFESSEUR: (*à la classe*) Et vous, est-ce que vous écrivez?

LA CLASSE: Non monsieur, nous n'écrivons pas.

LE PROFESSEUR: (*Il marche*) Et maintenant, est-ce que j'écris?

LA CLASSE: Non monsieur, vous n'écrivez pas. Vous marchez.

LE PROFESSEUR: Et vous, est-ce que vous marchez?

LA CLASSE: Non monsieur, nous ne marchons pas.

LE PROFESSEUR: (*Il va à la porte*) Et maintenant est-ce que je marche?

LA CLASSE: Oui monsieur, vous marchez.

LE PROFESSEUR: Et où est-ce que je vais?

LA CLASSE: Vous allez à la porte, monsieur.

LE PROFESSEUR: Et vous, est-ce que vous allez à la porte?

LA CLASSE: Non monsieur, nous n'allons pas à la porte.

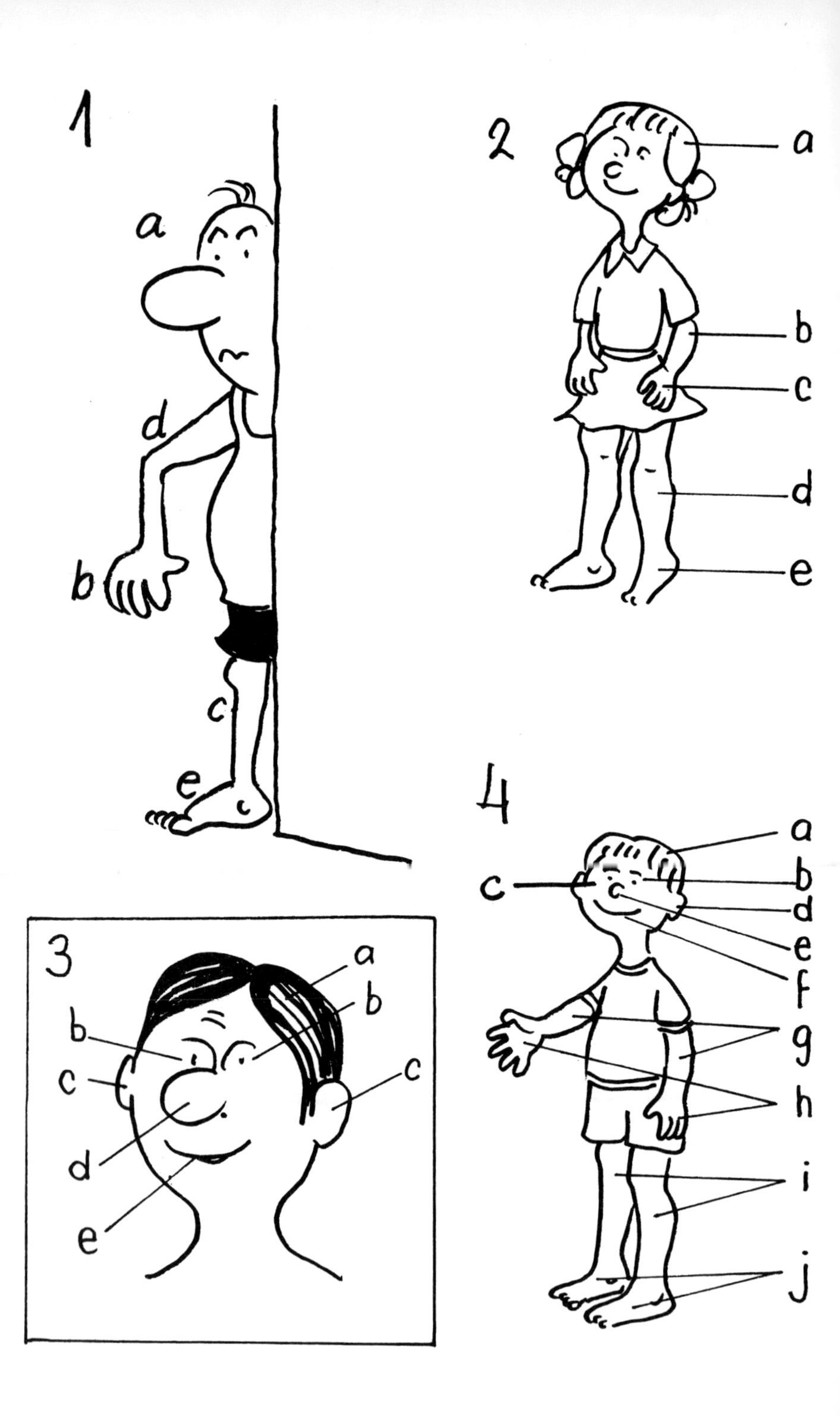
1
a
d
b
c
e
2
a
b
c
d
e
3
a
b
b
c
c
d
e
4
a
c
b
d
e
f
g
h
i
j

LEÇON 17

Les parties du corps

A.

1. (*a*) Voici une **tête**. (*b*) Voici une **main**. (*c*) Voici une **jambe**. (*d*) Voici un **bras**. (*e*) Voici un **pied**.

2. Voici une fillette.
(*a*) Voici la tête **de** la fillette. (*b*) Voici le bras de la fillette. (*c*) Voici la main de la fillette. (*d*) Voici la jambe de la fillette. (*e*) Voici le pied de la fillette.

3. Voici la tête et la **figure d'**un homme.
(*a*) Voici les **cheveux** de l'homme. (*b*) Voici les **yeux** (un **œil**) de l'homme. (*c*) Voici les oreilles (une **oreille**) de l'homme. (*d*) Voici le **nez** de l'homme. (*e*) Voici la **bouche** de l'homme.

4. Voici la tête, la figure et le **corps** d'un garçon.
(*a*) Voici les cheveux **du** garçon. (*b*) Voici l'œil du garçon. (*c*) Voici la figure du garçon. (*d*) Voici l'oreille du garçon. (*e*) Voici le nez du garçon. (*f*) Voici la bouche du garçon. (*g*) Voici les bras du garçon. (*h*) Voici les mains du garçon. (*i*) Voici les jambes du garçon. (*j*) Voici les pieds du garçon.

B. Répondez:

1. (*a*) Est-ce que c'est un pied? (Non, ce n'est pas un p . . . C'est u . . t . . .) (*b*) Est-ce que c'est une bouche? (*c*) Est-ce que c'est un bras? (*d*) Est-ce que c'est une tête? (*e*) Est-ce que c'est une jambe?

2. (*a*) Qu'est-ce que c'est? (*b*) Est-ce que c'est le pied de la fillette? (*c*) Qu'est-ce que c'est? (*d*) Est-ce que c'est la main de la fillette? (*e*) Qu'est-ce que c'est?

3. (*a*) Est-ce que ce sont les oreilles de l'homme? (Non, ce sont l . . c . . . . . . de l'homme.) (*b*) Est-ce que ce sont les pieds de l'homme? (*c*) Est-ce que ce sont les bras de l'homme? (*d*) Est-ce que c'est l'œil de l'homme? (*e*) Est-ce que c'est la main de l'homme?

4. (*a*) Est-ce que ce sont les cheveux de la fillette? (*b*) Est-ce que c'est l'œil de l'homme? (*c*) Est-ce que c'est la main du garçon? (*d*) Est-ce que c'est l'oreille de l'homme? (*e*) Est-ce que c'est le nez de la fillette? (*f*) Est-ce que c'est l'œil du garçon? (*g*) Est-ce que ce sont les bras de l'homme? (*h*) Est-ce que ce sont les pieds du garçon? (*i*) Est-ce que ce sont les jambes de la fillette? (*j*) Est-ce que ce sont les mains du garçon?

C. Additionnez:

(*a*) $12+5+16=$
(*b*) $8+10+3=$
(*c*) $14+28+4=$
(*d*) $39+7+2=$
(*e*) $21+10+17=$

Multipliez:

(*a*) $2\times2\times8=$
(*b*) $10\times2\times2=$
(*c*) $3\times3\times4=$
(*d*) $4\times4\times2=$
(*e*) $12\times2\times2=$

Quelle heure est-il?

(*a*) 10.10 (*b*) 11.05 (*c*) 1.25 (*d*) 3.20 (*e*) 4.45 (*f*) 9.15
(*g*) 11.12 (*h*) 8.16 (*i*) 7.42 (*j*) 1.22 (*k*) 5.37 (*l*) 6.17.

D. Ecoutez le professeur!

LE PROFESSEUR: **J'ai** une tête et un corps. J'ai des cheveux, des yeux, des oreilles, un nez et une bouche. J'ai aussi deux bras, deux mains, deux jambes et deux pieds.

(*à Pierre*) **Tu as** une tête et un corps aussi. Tu as des cheveux, des yeux, des oreilles, un nez et une bouche.
Pierre, toi et moi, **nous avons** une tête, un corps etc.

Dialogues

(*a*) LE PROFESSEUR: Pierre, est-ce que tu as une bouche?
PIERRE: Oui monsieur, j'ai une bouche.
LE PROFESSEUR: Marie, est-ce que tu as deux bouches?
MARIE: Non monsieur, je n'ai pas deux bouches.
LE PROFESSEUR: Jean, est-ce que tu as deux mains?
JEAN: Oui monsieur, j'ai deux mains.
LE PROFESSEUR: Jeanne, est-ce que tu as deux têtes?
JEANNE: Non monsieur, je n'ai pas deux têtes.

(*b*) LE PROFESSEUR: (*à la classe*) Est-ce que j'ai trois pieds?
LA CLASSE: Non monsieur, **vous avez** deux pieds.
LE PROFESSEUR: Est-ce que j'ai quatre oreilles?
LA CLASSE: Non monsieur, vous avez deux oreilles.

(*c*) LE PROFESSEUR: (*à la classe; il touche le nez*) Est-ce que je touche la tête?
LA CLASSE: Non monsieur, vous touchez le nez.
LE PROFESSEUR: (*Il ferme un œil*) Et maintenant, est-ce que je touche le nez?
LA CLASSE: Non monsieur, vous ne touchez pas le nez. Vous fermez un œil.

(*d*) LE PROFESSEUR: (*à Pierre*) **Ne touche pas** la tête! (*à la classe*) Touchez la tête! (*à la classe*) Est-ce que vous touchez le nez?
LA CLASSE: Non monsieur, nous touchons la tête.
LE PROFESSEUR: (*à Pierre*) Et est-ce que vous touchez la tête?
PIERRE: Non monsieur, je ne touche pas la tête.

(*e*) LE PROFESSEUR: Pierre, ouvre la bouche! Marie, ferme un œil! (*à Pierre*) Est-ce que tu fermes un œil?
PIERRE: Non monsieur, j'ouvre la bouche.
LE PROFESSEUR: (*à Marie*) Et est-ce que tu ouvres la bouche?
MARIE: Non monsieur, je ferme un œil.

(*f*) LE PROFESSEUR: Pierre, combien de crayons **as-tu**?
PIERRE: J'ai . . . crayons, monsieur.
LE PROFESSEUR: Marie, combien de livres as-tu?
MARIE: J'ai . . . livres, monsieur.

1
2
3
4
5
CAFÉ
6

LEÇON 18

Le facteur

A.

1. Voici un **facteur**. Il va à une maison. Il porte une **sacoche** et il **distribue** des **lettres**.

   Le facteur arrive à la porte de la maison. La porte de la maison est fermée. Il **frappe** à la porte de la maison.

2. Voici une dame **à l'intérieur** de la maison. Le facteur **donne** une lettre à la dame. La dame dit '**Merci**, monsieur' au facteur.

3. Le facteur va maintenant à l'hôpital. Il y a une ambulance devant la porte de l'hôpital. Sur le toit de l'hôpital il y a un **drapeau**.

4. Voici une **infirmière** à l'intérieur de l'hôpital. Le facteur donne des lettres à l'infirmière. L'infirmière dit 'Merci, monsieur' au facteur.

5. Le facteur arrive maintenant à la **terrasse** d'un café. Il regarde la sacoche ouverte. Il va au café.

6. Le facteur entre dans le café. Voici le **patron** du café. Il est derrière le **comptoir**. Le facteur donne une lettre au patron du café. Le patron dit 'Merci, monsieur' au facteur.

B. Répondez:

I. 1. (*a*) Qui distribue des lettres? (*b*) Où est-ce que le facteur va? (*c*) Est-ce qu'il quitte la maison? (*d*) Est-ce qu'il ouvre la porte de la maison?

2. (*a*) Qui est à l'intérieur de la maison? (*b*) Est-ce que le facteur entre dans la maison? (*c*) Qu'est-ce que la dame dit au facteur? (*d*) Est-ce que la porte de la maison est fermée?

3. (*a*) Est-ce que le facteur va au bureau de poste? (*b*) Qu'est-ce qu'il y a devant la porte de l'hôpital? (*c*) Qu'est-ce qu'il y a sur le toit de l'hôpital?
4. (*a*) Qui est à l'intérieur de l'hôpital? (*b*) Qu'est-ce que le facteur donne à l'infirmière? (*c*) Est-ce que la sacoche est ouverte?
5. (*a*) Est-ce que le facteur arrive à un magasin? (*b*) Qu'est-ce que le facteur fait?
6. (*a*) Qui est derrière le comptoir? (*b*) Où est le facteur? (*c*) Est-ce que le patron donne la lettre au facteur? (*d*) Qu'est-ce que le patron dit au facteur?

II. 1. (*a*) Est-ce que c'est un agent? (*b*) Qu'est-ce que le facteur distribue? (*c*) Est-ce que la porte de la maison est ouverte?
2. (*a*) Où est la dame? (*b*) Qu'est-ce que le facteur fait?
3. (*a*) Qui va à la porte de l'hôpital? (*b*) Est-ce que la porte de l'hôpital est fermée?
4. (*a*) Est-ce que le facteur donne une lettre à l'infirmière? (*b*) Est-ce qu'il entre dans l'hôpital?
5. (*a*) Où est-ce que le facteur arrive maintenant? (*b*) Est-ce qu'il quitte le café?
6. (*a*) Est-ce que le patron est devant le comptoir? (*b*) Qui est dans le café? (*c*) Qu'est-ce qu'il y a sur le comptoir du café? (*d*) Combien de lettres est-ce que le facteur donne au patron?

III. 1. (*a*) Est-ce que le facteur va à une école? (*b*) Qu'est-ce que le facteur fait? (*c*) Est-ce que la sacoche est fermée?
2. (*a*) Combien de lettres est-ce que le facteur donne à la dame? (*b*) Est-ce que le facteur est à l'intérieur de la maison?
3. (*a*) Où est-ce que le facteur va maintenant? (*b*) Qu'est-ce qu'il porte? (*c*) Combien de fenêtres est-ce qu'il y a dans l'hôpital?
4. (*a*) Où est l'infirmière? (*b*) Qu'est-ce qu'elle dit au facteur?
5. (*a*) Qu'est-ce qu'il y a sur la terrasse du café? (*b*) Qu'est-ce qu'il y a sur la table?
6. (*a*) Où est le patron? (*b*) Est-ce que le facteur est derrière le comptoir? (*c*) Qu'est-ce que le facteur donne au patron?

C. Corrigez:

1. (*a*) Le facteur distribue des livres. (*b*) Il ouvre la porte.
2. (*a*) La dame est dans la rue. (*b*) Elle ne parle pas au facteur.
3. (*a*) Le facteur va au cinéma. (*b*) Il y a une auto dans la rue.
4. (*a*) L'infirmière est sur le trottoir. (*b*) Elle ne regarde pas le facteur. (*c*) Elle touche les lettres.
5. (*a*) Le facteur quitte le café. (*b*) La sacoche est fermée.
6. (*a*) Le patron est derrière une table. (*b*) Il ouvre la lettre.

D. Ecoutez le professeur!

LE PROFESSEUR: (*à la classe*) Voici **ma** tête, ma figure, ma bouche, ma jambe et ma main. Voici **mon** nez, mon bras et mon pied. (*à un*(e) *élève*) Voici **ta** tête, ta figure, ta bouche, ta jambe, ta main, **ton** nez, ton bras et ton pied.

Dialogues

(*a*) LE PROFESSEUR: (*Il distribue des cahiers*) **Je distribue** des cahiers. Voici le cahier de Pierre. **Je donne** le cahier à Pierre. Est-ce que c'est mon cahier?

LA CLASSE: Non monsieur, c'est le cahier de Pierre.

LE PROFESSEUR: (*à Pierre*) Est-ce que c'est ton cahier?

PIERRE: Oui monsieur, c'est mon cahier.

(*b*) LE PROFESSEUR: (*Il donne à Pierre le cahier de Marie*) C'est ton cahier?

PIERRE: Ce n'est pas mon cahier, monsieur. C'est le cahier de Marie.

(*c*) LE PROFESSEUR: Ma main est dans ma **poche.** Pierre, où est ta main?

PIERRE: Ma main est . . ., monsieur.

LE PROFESSEUR: Mon **mouchoir** est dans ma main. Marie, où est ton mouchoir?

MARIE: Mon mouchoir est . . ., monsieur.

1

2

3

LEÇON 19

La famille Leblanc

Voici une **famille**. C'est la famille Leblanc.

A.

1. Voici le **père**. **Comment** est-ce qu'il **s'appelle**? Il s'appelle Monsieur Leblanc.

2. Voici la **mère**. Elle s'appelle Madame Leblanc. Madame Leblanc est la **femme** de Monsieur Leblanc. Monsieur Leblanc est **son mari**.

3. Voici les enfants de Monsieur et de Madame Leblanc. Ils s'appelle**nt** Pierre et Françoise. Le **fils** s'appelle Pierre. La **fille** s'appelle Françoise.
   Pierre est le **frère** de Françoise. Françoise est **sa sœur**.

B. Répondez:

I. (*a*) Comment s'appelle le père? (*b*) Qui est sa femme? (*c*) Comment s'appelle la mère? (*d*) Qui est son mari? (*e*) Comment s'appelle le fils? (*f*) Qui est son père? (*g*) Qui est sa mère? (*h*) Qui est sa sœur? (*i*) Comment s'appelle la fille? (*j*) Comment s'appellent les enfants?

II. (*a*) Est-ce que Monsieur Leblanc est le père de Madame Leblanc? (*b*) Est-ce que Madame Leblanc est la fille de Monsieur Leblanc? (*c*) Est-ce que Monsieur Leblanc est le fils de Pierre? (*d*) Est-ce que Madame Leblanc est la femme de Pierre? (*e*) Est-ce que Pierre est le mari de Madame Leblanc? (*f*) Est-ce que Françoise est la sœur de Madame Leblanc? (*g*) Est-ce que Pierre est le fils de Françoise? (*h*) Est-ce que Françoise est la mère de Pierre?

III. (*a*) Qui est le père de Pierre? (*b*) Comment s'appelle la mère de Françoise? (*c*) Qui est la sœur de Pierre? (*d*) Comment s'appelle la femme de Monsieur Leblanc? (*e*) Qui est le mari de Madame Leblanc? (*f*) Comment s'appelle le frère de Françoise? (*g*) Qui est la fille de Monsieur Leblanc? (*h*) Comment s'appelle le fils de Monsieur et de Madame Leblanc?

C. Complétez:

I. *La famille Leblanc*

Monsieur Leblanc est le . . . . de Pierre et le . . . . de Madame Leblanc. Madame Leblanc est la . . . . de Pierre et de Françoise et la . . . . . de Monsieur Leblanc. Françoise est la . . . . . de Monsieur et de Madame Leblanc et la . . . . . de Pierre. Pierre est le . . . . de Monsieur et de Madame Leblanc et le . . . . . de Françoise. Pierre et Françoise sont les . . . . de Monsieur et de Madame Leblanc.

II. (*a*) Monsieur Leblanc est le mari de Madame Leblanc; il est s . . mari. (*b*) Madame Leblanc est la femme de Monsieur Leblanc; elle est s . femme. (*c*) Monsieur Leblanc est le père de Françoise; il est s . . père. (*d*) Madame Leblanc est la mère de Pierre; elle est s . mère. (*e*) Pierre est le fils de Madame Leblanc; il est s . . fils. (*f*) Françoise est la fille de Monsieur Leblanc; elle est s . fille. (*g*) Pierre est le frère de Françoise; il est s . . frère. (*h*) Françoise est la sœur de Pierre; elle est s . sœur.

D. Ecoutez le professeur !

(*a*) LE PROFESSEUR: Voici **mes** cheveux, mes oreilles, mes yeux, mes mains, mes **doigts**, mes bras, mes jambes et mes pieds.
(*à un(e) élève*) Voici **tes** cheveux, tes oreilles, tes yeux etc.
(*à la classe*) Voici **ses** cheveux, ses oreilles, ses yeux etc.

(*b*) LE PROFESSEUR: Je regarde avec mes yeux. Vous regardez avec **vos** yeux. **J'écoute** avec mes oreilles. Vous écoutez avec vos oreilles. **Je mange** et je parle avec ma bouche. **Vous mangez** et vous parlez avec vos bouches. **Je travaille** et j'écris avec mes mains. **Vous travaillez** et vous écrivez avec vos mains. Je marche avec mes jambes et mes pieds. Vous marchez avec vos jambes et vos pieds.

Dialogues

(*a*) LE PROFESSEUR: (*Il* ***indique*** *ses mains*) Est-ce que ce sont mes pieds?

LA CLASSE: Non monsieur, ce sont vos mains.

LE PROFESSEUR: Est-ce que je marche avec mes mains?

LA CLASSE: Non monsieur, vous marchez avec vos jambes.

LE PROFESSEUR: (*Il indique son nez*) Est-ce que c'est mon œil?.

LA CLASSE: Non monsieur, c'est **votre** nez.

LE PROFESSEUR: Est-ce que je mange avec mon nez?

LA CLASSE: Non monsieur, vous mangez avec votre bouche.

(*b*) LE PROFESSEUR: (*Il touche les cheveux de Pierre*) Est-ce que je touche son bras?

LA CLASSE: Non monsieur, vous touchez ses cheveux.

LE PROFESSEUR: (*Il touche les livres de Marie*) Est-ce que je touche sa serviette?

LA CLASSE: Non monsieur, vous touchez ses livres.

(*c*) LE PROFESSEUR: Pierre, est-ce que tu manges avec ton nez?

PIERRE: Non monsieur, je mange avec ma bouche.

LE PROFESSEUR: Marie, est-ce que tu écoutes avec tes mains?

MARIE: Non monsieur, j'écoute avec mes oreilles.

(*d*) LE PROFESSEUR: (*à la classe*) **Je m'appelle** Monsieur/Madame/Mademoiselle . . . (*à Pierre*) **Tu t'appelles** Pierre . . . (*à Marie*) Comment **t'appelles-tu**?

MARIE: Je m'appelle Marie . . ., monsieur.

LE PROFESSEUR: Et ton père, comment est-ce qu'il s'appelle?

MARIE: Il s'appelle Monsieur . . ., monsieur.

LE PROFESSEUR: Et ta mère, comment est-ce qu'elle s'appelle?

MARIE: Elle s'appelle Madame . . ., monsieur.

(*e*) LE PROFESSEUR: Pierre, qui es-tu?

PIERRE: Je suis le fils de Monsieur et de Madame . . .

LE PROFESSEUR: Marie, qui es-tu?

MARIE: Je suis la fille de Monsieur et de Madame . . .

1
2
3

LEÇON 20

Les repas

A.

1. Il est sept heures et demie du **matin**. La famille Leblanc est à table dans la **cuisine**.

   Qu'est-ce que la famille fait? La famille **prend** le **petit déjeuner**. **Papa, maman** et les enfants **prennent** le petit déjeuner dans la cuisine.

   A quelle heure est-ce que les Leblanc prennent le petit déjeuner? Ils prennent le petit déjeuner à sept heures et demie du matin.

2. Il est **midi** et **demi**. **Encore une fois** les Leblanc sont à table dans la cuisine. La famille prend le **déjeuner**. Papa, maman et les enfants prennent le déjeuner.

3. Il est sept heures et demie du **soir**. Encore une fois la famille est à table dans la cuisine. Les Leblanc prennent le **dîner**. Ils prennent le dîner dans la cuisine à sept heures et demie du soir.

B. Répondez:

I. 1. (*a*) Est-ce qu'il est sept heures et demie du soir? (*b*) Qui est à table dans la cuisine? (*c*) Est-ce que la famille prend le déjeuner? (*d*) Qu'est-ce qu'il y a derrière Pierre?

2. (*a*) Quelle heure est-il? (*b*) Où est la famille? (*c*) Qu'est-ce que la famille fait?

3. (*a*) Quelle heure est-il? (*b*) Est-ce que les Leblanc sont dans un café? (*c*) Qu'est-ce qu'ils font?

II. 1. (*a*) Est-ce que les Leblanc prennent le déjeuner? (*b*) A quelle heure est-ce qu'ils prennent le petit déjeuner? (*c*) Qu'est-ce qu'il y a derrière Monsieur Leblanc? (*d*) Est-ce que les rideaux sont fermés? (*e*) Est-ce que la fenêtre est ouverte?

2. (*a*) Est-ce que la famille prend le petit déjeuner? (*b*) A quelle heure est-ce que la famille prend le déjeuner? (*c*) Qu'est-ce que maman fait? (*d*) Qu'est-ce que papa fait?

3. (*a*) Est-ce que la famille prend le déjeuner? (*b*) A quelle heure est-ce qu'ils prennent le dîner? (*c*) Qu'est-ce que Madame Leblanc mange?

III. 1. (*a*) Quelle heure est-il à la pendule de la cuisine? (*b*) Qu'est-ce que Pierre fait? (*c*) Qu'est-ce qu'il y a sur la table?

2. (*a*) Quelle heure est-il à la pendule de la cuisine? (*b*) Est-ce que maman mange? (*c*) Combien de verres est-ce qu'il y a sur la table? (*d*) Est-ce que la fenêtre est fermée?

3. (*a*) Quelle heure est-il à la pendule de la cuisine? (*b*) Est-ce que Pierre mange une glace? (*c*) Qu'est-ce qu'il y a sur la table maintenant? (*d*) Est-ce que les rideaux sont ouverts? (*e*) Est-ce que Pierre parle?

C. Corrigez:

I. 1. (*a*) Les Leblanc prennent le déjeuner à huit heures du matin. (*b*) Il y a une horloge derrière papa. (*c*) Pierre mange.

2. (*a*) La famille prend le déjeuner à une heure. (*b*) Sur la table il y a des tasses et des soucoupes. (*c*) La fenêtre de la cuisine est fermée. (*d*) Madame Leblanc et Françoise mangent. (*e*) Pierre et son père parlent.

3. (*a*) La famille prend le dîner à sept heures du soir. (*b*) Les Leblanc mangent des gâteaux.

D. Ecoutez le professeur!

LE PROFESSEUR: Regardez-moi! Je vais au placard. Je vais du placard au tableau noir. Je vais du tableau à la fenêtre. Je vais de la fenêtre à la porte. Je vais de la porte au mur etc.

Dialogues

(*a*) (*Pierre va au placard.*)
LE PROFESSEUR: Où est-ce que tu vas?
PIERRE: Je vais au placard, monsieur.
(*Pierre va du placard au tableau noir.*)
LE PROFESSEUR: Où est-ce que tu vas?
PIERRE: Je vais du placard au tableau noir, monsieur.

(*b*) (*Pierre et Marie vont au placard.*)
PIERRE: (*à la classe*) Où est-ce que nous allons?
LA CLASSE: Vous allez au placard.
(*Pierre et Marie vont du placard au tableau noir.*)
MARIE: (*à la classe*) Où est-ce que nous allons?
LA CLASSE: Vous allez du placard au tableau noir.

(*c*) LE PROFESSEUR: (*à la classe*) **Je prends** le petit déjeuner à . . . du matin. (*à Pierre*) Pierre, à quelle heure est-ce que **tu prends** le petit déjeuner?
PIERRE: Je prends le petit déjeuner à . . ., monsieur.
LE PROFESSEUR: Marie, à quelle heure est-ce que tu prends le petit déjeuner?
(et ainsi de suite)

(*d*) LE PROFESSEUR: Pierre, est-ce que tu prends le déjeuner à la maison ou au collège?
PIERRE: Je prends le déjeuner . . ., monsieur.
LE PROFESSEUR: Marie, où est-ce que tu prends le déjeuner?
(et ainsi de suite)

(*e*) (*Pierre et le professeur prennent des cahiers sur le bureau.*)
LE PROFESSEUR: (*à la classe*) Est-ce que **nous prenons** des livres?
LA CLASSE: Non monsieur, **vous prenez** des cahiers.
(*Pierre et le professeur* **distribuent** *les cahiers.*)
LE PROFESSEUR: (*à la classe*) **Nous distribuons** les cahiers. Marie, prends ton cahier!
MARIE: Merci, monsieur.
PIERRE: Jean, prends ton cahier!
JEAN: Merci, Pierre.
LE PROFESSEUR: Jeanne, prends ton cahier!
JEANNE: Merci, monsieur.
(et ainsi de suite)

1
(i)
(ii)
(iii)
(iv)
2
3
4
5

LEÇON 21

Couleurs et habits

A.

1. Voici des **couleurs**.
   (i) **rouge**, (ii) **jaune**, (iii) **bleu**, (iv) **noir**.

2. Voici des **pullovers**.
   (i) un pullover rouge, (ii) un pullover jaune, (iii) un pullover bleu, (iv) un pullover noir.

3. Voici des **robes**.
   (i) une robe rouge, (ii) une robe jaune, (iii) une robe bleu**e**, (iv) une robe noir**e**.

4. Voici des **gants** (un gant).
   (i) des gants rouge**s**, (ii) des gants jaune**s**, (iii) des gants bleu**s**, (iv) des gants noir**s**.

5. Voici des **cravates** (une cravate).
   (i) des cravates rouge**s**, (ii) des cravates jaune**s**, (iii) des cravates bleu**es**, (iv) des cravates noir**es**.

B. Répondez:

2. (i) De quelle couleur est **ce** pullover? (Il est . . .) (ii) Est-ce que ce pullover est noir? (iii) De quelle couleur est ce pullover? (iv) Est-ce que ce pullover est rouge?
3. (i) De quelle couleur est **cette** robe? (Elle est . . .) (ii) Est-ce que cette robe est bleue? (iii) De quelle couleur est cette robe? (iv) Est-ce que cette robe est jaune?
4. (i) Est-ce que **ces** gants sont noirs? (ii) De quelle couleur sont ces gants? (iii) Est-ce que ces gants sont rouges? (iv) De quelle couleur sont ces gants?
5. (i) Est-ce que **ces** cravates sont bleues? (ii) De quelle couleur sont ces cravates? (iii) Est-ce que ces cravates sont jaunes? (iv) De quelle couleur sont ces cravates?

6
(i)
(ii)
(iii)
(iv)
7
8
9
10

A.

6. Voici encore des couleurs.

   (i) **vert**, (ii) **brun**, (iii) **gris**, (iv) **blanc**.

7. Voici des **chapeaux**.

   (i) un chapeau vert, (ii) un chapeau brun, (iii) un chapeau gris, (iv) un chapeau blanc.

8. Voici des **chemises**.

   (i) une chemise vert**e**, (ii) une chemise brun**e**, (iii) une chemise gris**e**, (iv) une chemise blanc**he**.

9. Voici des **souliers** (un soulier).

   (i) des souliers vert**s**, (ii) des souliers brun**s**, (iii) des souliers gris, (iv) des souliers blanc**s**.

10. Voici des **chaussettes** (une chaussette).

    (i) des chaussettes vert**es**, (ii) des chaussettes brun**es**, (iii) des chaussettes gris**es**, (iv) des chaussettes blanc**hes**.

B. Répondez:

7. (i) De quelle couleur est ce chapeau? (ii) Est-ce que ce chapeau est bleu? (iii) De quelle couleur est ce chapeau? (iv) Est-ce que ce chapeau est noir?

8. (i) Est-ce que cette chemise est rouge? (ii) De quelle couleur est cette chemise? (iii) Est-ce que cette chemise est verte? (iv) De quelle couleur est cette chemise?

9. (i) De quelle couleur sont ces souliers? (ii) Est-ce que ces souliers sont noirs? (iii) De quelle couleur sont ces souliers? (iv) Est-ce que ces souliers sont rouges?

10. (i) Est-ce que ces chaussettes sont jaunes? (ii) De quelle couleur sont ces chaussettes? (iii) Est-ce que ces chaussettes sont bleues? (iv) De quelle couleur sont ces chaussettes?

C. Répondez:

(*a*) De quelle couleur sont vos yeux? (Ils sont . . .) (*b*) De quelle couleur sont vos souliers? (*c*) De quelle couleur sont vos chaussettes? (*d*) De quelle couleur est votre bouche? (*e*) De quelle couleur est votre chemise/robe? (*f*) De quelle couleur est votre pullover? (*g*) De quelle couleur est votre cravate? (*h*) De quelle couleur est votre chapeau? (*i*) De quelle couleur sont les murs de la salle de classe? (*j*) De quelle couleur est le plancher? (*k*) De quelle couleur est le plafond? (*l*) De quelle couleur sont les rideaux?

D. Dialogues

(*a*) LE PROFESSEUR: Voici un livre. De quelle couleur est-il?
LA CLASSE: Il est . . ., monsieur.
LE PROFESSEUR: Voici une serviette. De quelle couleur est-elle?
LA CLASSE: Elle est . . ., monsieur.
LE PROFESSEUR: Voici des crayons. De quelle couleur sont-ils?
LA CLASSE: Ils sont . . ., monsieur.
LE PROFESSEUR: Voici des règles. De quelle couleur sont-elles?
LA CLASSE: Elles sont . . ., monsieur.

(*b*) LE PROFESSEUR: Voici mon crayon. Mon crayon est . . ., n'est-ce pas? Pierre, **montre**-moi ton crayon! De quelle couleur est-il?
PIERRE: Il est . . ., monsieur.
LE PROFESSEUR: Marie, montre-moi ton mouchoir! De quelle couleur est-il?
MARIE: Il est . . ., monsieur.
LE PROFESSEUR: Jean, montre-moi ta cravate! De quelle couleur est-elle?
JEAN: Elle est . . ., monsieur.
LE PROFESSEUR: Jeanne, montre-moi tes souliers! De quelle couleur sont-ils?
JEANNE: Ils sont . . ., monsieur.

(*c*) LE PROFESSEUR: (*Il a des crayons de couleur à la main*) Ce crayon est rouge, ce crayon est jaune etc. (*Il indique le crayon rouge*) Est-ce que ce crayon est noir?
LA CLASSE: Non monsieur, il est rouge.
LE PROFESSEUR: (*Il indique le crayon jaune*) Et ce crayon, est-il rouge?
LA CLASSE: Non monsieur, il est jaune.

(*d*) LE PROFESSEUR: (*Il a un livre rouge et un livre bleu*) Voici deux livres. Ce livre est rouge. Ce livre n'est pas rouge; de quelle couleur est-il?

LA CLASSE: Il est bleu, monsieur.

LE PROFESSEUR: (*Il a un cahier vert et un cahier jaune*) Voici deux cahiers. (*Il indique le cahier vert*) De quelle couleur est ce cahier?

LA CLASSE: Il est vert, monsieur.

LE PROFESSEUR: (*Il a des stylos*) De quelle couleur est ce stylo?

LA CLASSE: Il est . . ., monsieur.

LE PROFESSEUR: Et ce stylo, est-il . . .?

LA CLASSE: Non monsieur, il est . . .

(*e*) LE PROFESSEUR: (*Il a des crayons rouges, verts etc.*) Voici des crayons. Ces crayons sont rouges, n'est-ce pas? Et ces crayons, sont-ils rouges?

LA CLASSE: Non monsieur, ils sont verts.

LE PROFESSEUR: (*Il a des cahiers bleus, jaunes etc.*) Voici des cahiers. (*Il indique les cahiers bleus*) De quelle couleur sont ces cahiers?

LA CLASSE: Ils sont bleus, monsieur.

LE PROFESSEUR: (*Il indique les cahiers jaunes*) Et ces cahiers, sont-ils bleus?

LA CLASSE: Non monsieur, ils sont jaunes.

(et ainsi de suite)

1
(i)
(ii)
(iii)
(iv)
2
(i)
(ii)
(iii)
(iv)
(v)
3

LEÇON 22

Encore des habits

A.

1. Voici des habits de femme et de fillette.

   (i) un **manteau** (des manteau**x**), (ii) un **chemisier,** (iii) une **jupe,** (iv) un **collant.**

2. Voici des habits d'homme et de garçon.

   (i) un **pardessus**, (ii) un **pantalon**, (iii) un **béret**, (iv) une **veste**, (v) une **culotte**.

3. Voici les Leblanc. Qu'est-ce qu'ils font? Ils **se promènent** dans la rue. Le chien aussi **se promène**.

   Qu'est-ce qu'ils portent? Madame Leblanc porte un chapeau, un manteau, un collant et des souliers. Monsieur Leblanc porte un béret, un pardessus, un pantalon et des souliers. Pierre porte une veste, un pantalon, des chaussettes et des souliers. Françoise porte un manteau, un chemisier, une jupe, des chaussettes et des souliers.

B. Répondez:

1. (i) (*a*) Est-ce que c'est un pardessus?
   (*b*) De quelle couleur est-il?
   (ii) (*a*) Est-ce que c'est une chemise?
   (*b*) De quelle couleur est-elle?
   (iii) (*a*) Est-ce que c'est une robe?
   (*b*) De quelle couleur est-elle?
   (iv) (*a*) Est-ce que ce sont des chaussettes?
   (*b*) De quelle couleur sont-ils?

2. (i) (*a*) Est-ce que c'est un pullover?
   (*b*) De quelle couleur est-il?
   (ii) (*a*) Est-ce que c'est une culotte?
   (*b*) De quelle couleur est-il?
   (iii) (*a*) Est-ce que c'est un chapeau?
   (*b*) De quelle couleur est-il?
   (iv) (*a*) Est-ce que c'est une cravate?
   (*b*) De quelle couleur est-elle?
   (v) (*a*) Est-ce que c'est une jupe?
   (*b*) De quelle couleur est-elle?

3. (*a*) Où est la famille? (*b*) Qu'est-ce que la famille fait? (*c*) Qui se promène **avec** la famille? (*d*) De quelle couleur est le chien? (*e*) Est-ce que Madame Leblanc porte un béret noir? (*f*) De quelle couleur est son manteau? (*g*) Est-ce qu'elle porte des chaussettes? (*h*) Est-ce que Monsieur Leblanc porte un chapeau gris? (*i*) De quelle couleur est son pardessus? (*j*) Est-ce qu-il porte une culotte? (*k*) Est-ce que ses souliers sont noirs? (*l*) De quelle couleur est la veste de Pierre? (*m*) Est-ce que Pierre porte des gants? (*n*) Est-ce qu'il porte une culotte grise? (*o*) Est-ce que Françoise porte un manteau vert? (*p*) De quelle couleur est son chemisier? (*q*) Est-ce qu'elle porte une culotte? (*r*) De quelle couleur est sa jupe?

C. Lisez!

Le béret de Monsieur Leblanc est noir. Son pardessus est brun. Sa chemise est blanche. Sa cravate est noire. Son pantalon est gris. Ses souliers sont blancs.

Décrivez! (*a*) les habits de Madame Leblanc, (*b*) les habits de Pierre, (*c*) les habits de Françoise, (*d*) les habits d'un(e) ami(e), (*e*) les habits du professeur.

D. Dialogues

(*a*) LE PROFESSEUR: (*Il a des fleurs à la main; des fleurs jaunes, rouges etc.*) Regardez ces fleurs! Cette fleur est jaune, cette fleur est rouge etc. (*à Pierre*) Regardez cette fleur! De quelle couleur est-elle?

PIERRE: Elle est . . ., monsieur.

LE PROFESSEUR: Et cette fleur, de quelle couleur est-elle, Marie?

PIERRE: Elle est . . ., monsieur.

LE PROFESSEUR: Et cette fleur, est-elle noire, Jean?

(et ainsi de suite)

(*b*) LE PROFESSEUR: (*à la classe*) Regardez ces fleurs! Est-ce qu'elles sont jaunes?

LA CLASSE: { Oui, monsieur, elles sont jaunes.
Non, monsieur, elles sont . . .

(*c*) LE PROFESSEUR: (*Il indique une fenêtre*) Est-ce que cette fenêtre est fermée?

LA CLASSE: Non monsieur, elle est ouverte.

LE PROFESSEUR: (*Il indique une porte fermée*) Est-ce que cette porte est ouverte?

LA CLASSE: Non monsieur, elle est fermée.

LE PROFESSEUR: (*Une chaise est sur le bureau*) Et cette chaise, est-ce qu'elle est derrière le bureau?

LA CLASSE: Non monsieur, elle est sur le bureau.

(*d*) LE PROFESSEUR: (*à la classe*) **Je porte** un(e). . . (*à Pierre*) Qu'est-ce que **tu portes,** Pierre?

PIERRE: Je porte . . ., monsieur. (*à Marie*) Qu'est-ce que tu portes, Marie?

MARIE: Je porte . . . (*à Jean*) Qu'est-ce que tu portes?

(*e*) LE PROFESSEUR: (*à la classe*) Pierre et moi, **nous portons** des chemises. (*à Marie et à Jeanne*) Est-ce que **vous portez** des chemises?

MARIE, JEANNE: Non monsieur, nous portons des . . .

LE PROFESSEUR: (*à Pierre et à Jean*) Est-ce que vous portez des jupes?

PIERRE, JEAN: Non monsieur, nous portons des . . .

(*f*) LE PROFESSEUR: Mon pullover est . . . Pierre, est-ce que ton pullover est . . . ?

PIERRE: Oui monsieur, il est . . . /Non monsieur, il est . . .

LE PROFESSEUR: Ma cravate est . . . Jean, est-ce que ta cravate est . . . ?

JEAN: Oui monsieur, elle est . . . /Non monsieur, elle est . . .

1

GARAGE LEBLANC
VÉLO
SOLEX
CITROËN 2CV
elf
elf
LE
HUI
huil

2

(i)
(ii)
(iii)
(iv)
(v)
(vi)
(vii)

LEÇON 23

Chez les Leblanc

A.

1. Voici un **garage**. C'est le garage de Monsieur Leblanc. Monsieur Leblanc est **garagiste**. Devant le garage il y a une auto et des **postes d'essence** (un poste d'essence).

   Qu'est-ce que Monsieur Leblanc fait? Il regarde le **moteur** de l'auto.

   Où est-ce qu'il **habite**? Monsieur Leblanc et sa famille habite**nt** un **appartement**. L'appartement est **au-dessus de** son garage.

2. Voici l'intérieur de l'appartement de la famille Leblanc. Dans l'appartement il y a cinq pièces (une **pièce**), (i) une cuisine, (ii) un **salon**, (iii) la **chambre à coucher** de Pierre, (iv) la chambre de Françoise et (v) la chambre de Monsieur et de Madame Leblanc. Il y a aussi une **salle de bain** (vi) et les **cabinets** (vii).

   Où est la cuisine? Elle est **à côté du** salon et **en face de** la chambre de Monsieur et de Madame Leblanc.

   Où est le salon? Il est à côté de la cuisine et de la salle de bain et en face de la chambre de Françoise.

B. Répondez:

1. (*a*) Est-ce que c'est un magasin ? (*b*) Qui est le patron du garage ? (*c*) Qu'est-ce qu'il y a devant le garage ? (*d*) Combien de postes d'essence est-ce qu'il y a devant le garage ? (*e*) Est-ce que Monsieur Leblanc est dans l'auto ? (*f*) Qu'est-ce qu'il regarde ? (*g*) Est-ce que les Leblanc habitent une maison ? (*h*) Où est l'appartement de la famille Leblanc ?

2. (*a*) Combien de chambres à coucher est-ce qu'il y a dans l'appartement ? (*b*) Qu'est-ce qu'il y a dans le salon ? (*c*) Où est la salle de bain ? (*d*) Où sont les cabinets ? (*e*) Où est la chambre de Françoise ? (*f*) Combien de chaises est-ce qu'il y a dans l'appartement ? (*g*) Où est la chambre de Monsieur et de Madame Leblanc ? (*h*) Combien de fenêtres est-ce qu'il y a dans l'appartement ? (*i*) Qu'est-ce qu'il y a devant les fenêtres ? (*j*) Est-ce que la famille est dans l'appartement ?

C. Corrigez:

1. (*a*) Monsieur Leblanc est facteur. (*b*) Les Leblanc habitent une maison. (*c*) L'appartement de la famille est à côté du garage. (*d*) Les fenêtres de l'appartement sont ouvertes.

2. (*a*) La cuisine est en face de la salle de bain. (*b*) Le salon est en face de la cuisine. (*c*) Il y a un fauteuil dans la cuisine. (*d*) La fenêtre du salon est ouverte.

Faites un plan de votre maison (ou appartement) et complétez:

Dans m . maison (m . . appartement) il y a . . . pièces. Il y a u . . cuisine, u . salon, u . . salle de bain et . . . chambre(s) à coucher. M . chambre est . . . La chambre de m . . père et de m . mère est . . . L .(.) chambre(s) de m . . frère(s) est(sont) . . . L .(.) chambre(s) de m .(.) sœur(s) est(sont) . . .

D. Dialogues

(*a*) LE PROFESSEUR: **J'habite** une maison. Pierre, est-ce que **tu habites** une maison?

PIERRE: { Oui monsieur, j'habite une maison.
Non monsieur, j'habite un appartement.

(*b*) LE PROFESSEUR: Ma famille et moi, **nous habitons** une maison. (*à Pierre*) Toi et ta famille, vous habitez une maison?

PIERRE: { Oui monsieur, nous habitons une maison.
Non monsieur, nous habitons un appartement.

(*c*) LE PROFESSEUR: **Chez** nous, le salon est . . . (*à Pierre*) Où est le salon chez toi?

PIERRE: Chez nous (moi) le salon est . . ., monsieur.

LE PROFESSEUR: Marie, où est la cuisine chez toi?

MARIE: Chez nous (moi) la cuisine est . . ., monsieur.

(*d*) LE PROFESSEUR: Chez nous, il y a . . . pièces. Pierre, combien de pièces est-ce qu'il y a chez toi?

PIERRE: Chez nous, il y a . . . pièces, monsieur. Marie, combien de pièces est-ce qu'il y a chez toi?

MARIE: Chez nous, il y a . . . pièces. Jean, combien de pièces est-ce qu'il y a chez toi?

(*e*) LE PROFESSEUR: (*à la classe*) Pierre et moi, nous avons des souliers noirs. **Nos** souliers sont noirs. (*à des élèves*) De quelle couleur sont vos souliers?

LES ÉLÈVES: Nos souliers sont . . ., monsieur.

LE PROFESSEUR: (*à des élèves*) De quelle couleur sont vos cravates?

LES ÉLÈVES: Nos cravates sont . . ., monsieur.

Encore des questions

(*a*) Est-ce que votre père est garagiste? (*b*) Combien de fenêtres est-ce qu'il y a dans votre appartement (ou votre maison)? (*c*) De quelle couleur sont vos yeux? (*d*) De quelle couleur sont les rideaux de votre chambre? (*e*) Est-ce que vous prenez vos repas dans la cuisine? (*f*) Combien de chaises est-ce qu'il y a dans votre cuisine? (*g*) Combien de fauteuils est-ce qu'il y a dans votre salon? (*h*) De quelle couleur sont vos fauteuils? (*i*) De quelle couleur sont les murs de votre salon? (*j*) Combien de cheminées est-ce qu'il y a sur le toit de votre maison?

1
LAIS

BEURRE

3
ABRIC

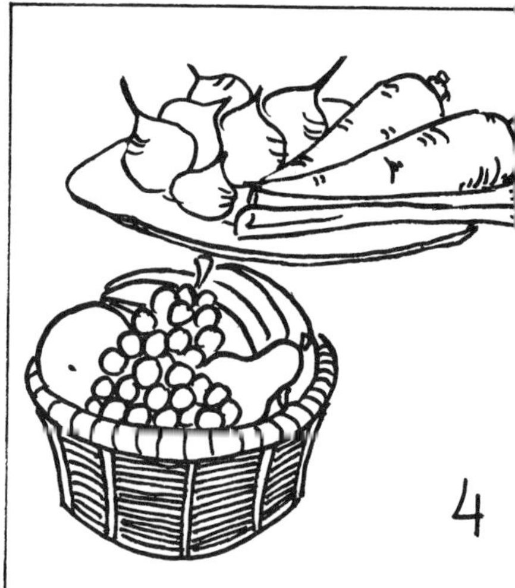
4

5
COT

LEÇON 24

Le manger et le boire

A.

1. Voici une **assiette**, une bouteille et une **cafetière**.
   Il y a **du potage** dans l' assiette.
   Il y a du **vin** dans la bouteille.
   Il y a du **café** dans la cafetière.

2. Voici deux assiettes, un verre et une **corbeille**.
   Il y a du **beurre** dans la **première** assiette.
   Il y a du **fromage** dans la **deuxième** assiette.
   Il y a du **lait** dans le verre.
   Il y a du pain dans la corbeille.

3. Voici deux plats (un **plat**), un **pot** et une **carafe**.
   Il y a du **poisson** dans le **premier** plat.
   Il y a **de la viande** dans le deuxième plat.
   Il y a de la **confiture** dans le pot.
   Il y a **de l'eau** dans la carafe.

4. Voici un plat et une corbeille.
   Il y a **des** légumes (un **légume**) dans le plat.
   Il y a des fruits (un **fruit**) dans la corbeille.

5. Voici un verre, une cafetière, un plat, une bouteille, une corbeille, un pot, une assiette et une carafe.

   Il n'y a pas **de** lait dans le verre. Il n'y a pas **de** café dans la cafetière. Il n'y a pas **de** légumes dans le plat. Il n'y a pas **de** confiture dans le pot. Il n'y a pas **d'**eau dans la carafe.

   Il n'y a **rien** dans la bouteille. Il n'y a rien dans l'assiette. Il n'y a rien dans la corbeille non plus.

   Le verre est **vide**. La cafetière est vide. Le plat, la bouteille et le pot sont vide**s** aussi.

B. Répondez:

I. 1. (*a*) Qu'est-ce qu'il y a dans l'assiette? (*b*) Est-ce qu'il y a du lait dans la bouteille? (*c*) Qu'est-ce qu'il y a dans la cafetière?

2. (*a*) Est-ce qu'il y a du potage dans la première assiette? (*b*) Qu'est-ce qu'il y a dans la deuxième assiette? (*c*) Est-ce qu'il y a du vin dans le verre? (*d*) Qu'est-ce qu'il y a dans la corbeille?

3. (*a*) Est-ce qu'il y a du fromage dans le premier plat? (*b*) Qu'est-ce qu'il y a dans le deuxième plat? (*c*) Est-ce qu'il y a du beurre dans le pot? (*d*) Qu'est-ce qu'il y a dans la carafe?

4. (*a*) Est-ce qu'il y a des pommes dans le plat? (*b*) Qu'est-ce qu'il y a dans la corbeille?

5. (*a*) Est-ce qu'il y a du vin dans le verre? (Non, il n'y a pas de v . . dans le v . . . .) (*b*) Comment est la cafetière? (Elle e . . v . . .) (*c*) Est-ce qu'il y a du poisson dans le plat? (*d*) Comment est la corbeille? (*e*) Est-ce qu'il y a du vin dans la bouteille? (*f*) Comment est le pot? (*g*) Est-ce qu'il y a du potage dans l'assiette? (*h*) Comment est la carafe?

II. 5. (*a*) Qu'est-ce qu'il y a dans le verre? (Il n'y a r . . . dans le verre.) (*b*) Est-ce qu'il y a de la viande dans le plat? (*c*) Qu'est-ce qu'il y a dans la cafetière? (*d*) Est-ce qu'il y a du pain dans la corbeille? (*e*) Qu'est-ce qu'il y a dans la bouteille? (*f*) Qu'est-ce qu'il y a dans le pot? (*g*) Est-ce qu'il y a de l'eau dans la carafe? (*h*) Qu'est-ce qu'il y a dans l'assiette? (*i*) Comment est le verre? (*j*) Comment sont la bouteille et la carafe?

C. Corrigez:

I. 1. (*a*) Il y a du pain dans l'assiette. (*b*) La bouteille est vide. (*c*) Il n'y a rien dans la cafetière.

2. (*a*) Il y a des fruits dans la première assiette. (*b*) La deuxième assiette est vide. (*c*) Il y a de l'eau dans le verre. (*d*) Il n'y a rien dans la corbeille.

3. (*a*) Il y a des légumes dans le premier plat. (*b*) Il n'y a rien dans le deuxième plat. (*c*) Le pot et la carafe sont vides.

4. (*a*) Il n'y a rien dans le plat. (*b*) Il y a des légumes dans la corbeille.

II. (*a*) Je mange des bonbons en classe. (*b*) Je mange des légumes au petit déjeuner. (*c*) La salle de classe est vide. (*d*) Nos pupitres sont vides. (*e*) Il n'y a pas de livres dans la salle de classe. (*f*) Il n'y a rien dans mon pupitre. (*g*) Il n'y a pas de fenêtres dans la salle de classe. (*h*) Je porte un chapeau en classe. (*i*) Nous ne portons pas de souliers. (*j*) Il n'y a pas de toit sur notre maison.

D. Dialogues

(*a*) LE PROFESSEUR: (*à la classe*) Au petit déjeuner je mange du pain, du beurre, de la confiture et un **œuf.** (*à Pierre*) Est-ce que tu manges du pain au petit déjeuner?

PIERRE: { Oui monsieur, je mange du pain au petit déjeuner. / Non monsieur, je ne mange pas de pain au petit déjeuner. }

LE PROFESSEUR: Marie, est-ce que tu manges du beurre au petit déjeuner?

MARIE: { Oui monsieur, je mange du beurre au petit déjeuner. / Non monsieur, je ne mange pas de beurre au petit déjeuner. }

(*b*) LE PROFESSEUR: (*à la classe*) A la maison **nous mangeons** des œufs au petit déjeuner. (*à Pierre*) Qu'est-ce qu'on mange chez toi au petit déjeuner?

PIERRE: A la maison nous mangeons . . ., monsieur.

LE PROFESSEUR: Marie, qu'est-ce qu'on mange chez toi au déjeuner?

MARIE: Nous mangeons . . ., monsieur.

(*c*) LE PROFESSEUR : (*à la classe*) Je mange du pain, mais **je bois** du café. Vous mangez du pain, mais **vous buvez** du café. (*à Pierre*) Est-ce que tu manges du lait?

PIERRE : Non monsieur, je bois du lait.

LE PROFESSEUR : Marie, est-ce que tu bois des gâteaux?

MARIE : Non monsieur, je mange des gâteaux.

LE PROFESSEUR : Jean, est-ce que tu manges de l'eau?

JEAN : Non monsieur, je bois de l'eau.

(*d*) LE PROFESSEUR : (*à la classe*) Je bois du **thé** au petit déjeuner. Pierre, qu'est-ce que tu bois au petit déjeuner?

PIERRE : Je bois . . ., monsieur.

LE PROFESSEUR : (*à la classe*) Qu'est-ce que Pierre **boit** au petit déjeuner?

LA CLASSE : Il boit . . ., monsieur.

LE PROFESSEUR : Marie, est-ce que tu bois de l'eau au petit déjeuner?

MARIE : Non monsieur, je bois . . .

LE PROFESSEUR : (*à la classe*) Qu'est-ce qu'elle boit au petit déjeuner?

LA CLASSE : Elle boit . . ., monsieur.

(*e*) LE PROFESSEUR : (*à la classe*) Nous mangeons des bonbons, mais **nous buvons** le lait. (*à Pierre et à Marie*) Est-ce que vous mangez de l'eau?

PIERRE, MARIE : Non monsieur, nous buvons de l'eau.

LE PROFESSEUR : (*à Jean et a Jeanne*) Est-ce que vous buvez des légumes?

JEAN, JEANNE : Non monsieur, nous mangeons des légumes.

(*f*) LE PROFESSEUR : (*à la classe*) A la maison nous buvons de l'eau, ou de la **limonade**, ou du **cidre**, ou de la **bière** au déjeuner. Les Leblanc **boivent** du vin au déjeuner. (*à Pierre*) Qu'est-ce que vous buvez chez vous au déjeuner?

PIERRE : Nous buvons . . ., monsieur.

LE PROFESSEUR : (*à la classe*) Est-ce qu'ils boivent . . . ?

LA CLASSE : Non monsieur, ils boivent . . .

LE PROFESSEUR : Marie, qu'est-ce que vous buvez chez vous au déjeuner?

MARIE : Nous buvons . . ., monsieur.

LE PROFESSEUR : (*à la classe*) Est-ce qu'ils boivent . . . ?

LA CLASSE : Non monsieur, ils boivent . . .

Encore des questions

Est-ce que vous mangez ?

(*a*) de la viande au petit déjeuner ? (*b*) des légumes au petit déjeuner ? (*c*) du fromage au petit déjeuner ? (*d*) du potage au petit déjeuner ? (*e*) de la confiture au déjeuner ? (*f*) des bonbons au déjeuner ?

Est-ce que vous buvez ?

(*a*) du vin au petit déjeuner ? (*b*) de l'eau au petit déjeuner ? (*c*) de la limonade au petit déjeuner ? (*d*) du vin au déjeuner ? (*e*) du lait au déjeuner ? (*f*) du thé au déjeuner ? (*g*) de la bière au petit déjeuner ? (*h*) du café au dîner ?

De quelle couleur est ?

(*a*) le vin ? (*b*) le lait ? (*c*) le fromage ? (*d*) le café ? (*e*) le thé ? (*f*) le cidre ? (*g*) la viande ? (*h*) la limonade ?

1
2
PARIS
3
4
13

LEÇON 25

Le départ de Monsieur Leblanc

A.

1. Monsieur Leblanc et Pierre sont à la gare. Monsieur Leblanc et un **autre** monsieur **achètent** des billets (un **billet**) au **guichet**. **Pourquoi** est-ce qu'ils achètent des billets ? Ils achètent des billets **parce qu**'ils vont **voyager** en **chemin de fer**. Monsieur Leblanc va à Paris. Il va à Paris **pour affaires**.

   Est-ce que Pierre **achète** un billet ? Non, il n'achète pas de billet parce qu'il ne va pas à Paris. Il **attend** son père. Il porte la valise de son père.

2. Monsieur Leblanc et Pierre sont maintenant sur le **quai**. Ils attend**ent** le **train** pour Paris. **Voilà** le train. Il arrive en gare. C'est un **rapide**. Regardez la **locomotive électrique** !

3. Monsieur Leblanc **monte** dans le train. Les autre**s** voyageurs (un **voyageur**) mont**ent** aussi dans le train. Pierre ne monte pas dans le train avec son père parce qu'il ne va pas voyager ; il **reste** sur le quai.

4. Monsieur Leblanc est maintenant dans un **compartiment** du train. Il regarde **par** la fenêtre du compartiment. Le train quitte la gare. Pierre dit 'Au revoir' à son père. Mais le **porteur** ne regarde pas le train. Il **pousse** un **diable**.

B. Répondez:

I. 1. (*a*) Qui est à la gare ? (*b*) Qui achète des billets ? (*c*) Est-ce que Pierre achète un billet ? (*d*) Qu'est-ce que Pierre porte ?

2. (*a*) Qui est sur le quai ? (*b*) Qui attend le train ? (*c*) Est-ce que le train quitte la gare ? (*d*) Combien de voyageurs est-ce qu'il y a sur le quai ? (*e*) Est-ce que Pierre va voyager ?

3. (*a*) Qui monte dans le train ? (*b*) Qui ne monte pas dans le train ? (*c*) Est-ce que les deux messieurs restent sur le quai ? (*d*) Est-ce que Pierre porte maintenant la valise de son père ?

4. (*a*) Qui est dans le train ? (*b*) Combien de gens restent sur le quai ? (*c*) Qu'est-ce que Pierre dit à son père ? (*d*) Qui pousse le diable ? (*e*) Est-ce que le train attend à la gare ?

II. 1. (*a*) Où sont Pierre et son père ? (*b*) Où est-ce que Monsieur Leblanc achète son billet ? (*c*) Pourquoi est-ce qu'il achète un billet ? (*d*) Pourquoi est-ce qu'il va à Paris ?

2. (*a*) Où sont les voyageurs ? (*b*) Où est Pierre ? (*c*) Qu'est-ce que les voyageurs font ? (*d*) Comment est le train ?

3. (*a*) Où est le train maintenant ? (*b*) Combien de voyageurs montent dans le train ? (*c*) Pourquoi est-ce que Pierre ne monte pas ?

4. (*a*) Où est Monsieur Leblanc maintenant ? (*b*) Où est-ce que le train va ? (*c*) Est-ce qu'il y a des valises sur le diable du porteur ? (*d*) Qu'est-ce que Monsieur Leblanc fait ?

III. 1. (*a*) Qu'est-ce que Monsieur Leblanc fait ? (*b*) Qu'est-ce que Pierre porte ? (*c*) Est-ce que Monsieur Leblanc va voyager en auto ? (*d*) Pourquoi est-ce que Pierre n'achète pas de billet ?

2. (*a*) Qu'est-ce que le train fait ? (*b*) Qu'est-ce qu'il y a devant le train ? (*c*) Qu'est-ce que la dame porte ?

3. (*a*) Qu'est-ce que Monsieur Leblanc fait maintenant ? (*b*) Est-ce que le train quitte la gare ? (*c*) Qu'est-ce que la dame fait ?

4. (*a*) Est-ce que Pierre est dans le train ? (*b*) Qu'est-ce que le porteur fait ? (*c*) Est-ce que le train arrive en gare ?

C. Corrigez:

1. (*a*) Monsieur Leblanc est dans un magasin. (*b*) Il achète des cigarettes. (*c*) Pierre porte un panier.

2. (*a*) Les gens sont dans la rue. (*b*) La dame porte un chapeau.

3. (*a*) Pierre et son père montent dans le train. (*b*) Pierre porte un pardessus. (*c*) La dame porte un manteau.

4. (*a*) Le porteur regarde Monsieur Leblanc. (*b*) Pierre est dans le train. (*c*) Monsieur Leblanc dit 'Bonjour' au porteur.

D. Scène à la gare

PERSONNAGES: Monsieur Leblanc. Un **employé** au guichet.
Un porteur. Un **contrôleur**.

(*Monsieur Leblanc arrive à la gare. Il appelle un porteur.*)

MONSIEUR LEBLANC: Porteur! Porteur! Porteur!

LE PORTEUR: A votre **service**, monsieur.

MONSIEUR LEBLANC: Je vais à Paris par le train de dix heures dix. Prenez ma valise, s'il vous plaît et **attendez**-moi sur le quai. Je vais au guichet. Je n'ai pas de billet.

LE PORTEUR: Très **bien**, monsieur.
(*M. Leblanc va au guichet. Un employé est derrière le guichet.*)

L'EMPLOYÉ: Monsieur?

MONSIEUR LEBLANC: Une **seconde aller et retour** pour Paris, s'il vous plaît.

L'EMPLOYÉ: (*Il donne un billet à M. Leblanc.*) Voilà, monsieur.

MONSIEUR LEBLANC: Merci bien, monsieur. **Ça** fait combien?

L'EMPLOYÉ: Ça fait cent quatorze **francs** cinquante, monsieur.
(*Monsieur Leblanc donne les 114 francs 50 à l'employé.*)

L'EMPLOYÉ: Merci bien, monsieur.

(*Monsieur Leblanc arrive à l'**entrée** du quai.*)

LE CONTRÔLEUR: Montrez-moi votre billet, s'il vous plaît, monsieur. (*Il regarde le billet de M. Leblanc.*) Le train pour Paris . . . c'est au quai **numéro** quatre, monsieur.

MONSIEUR LEBLANC: Merci bien, monsieur.

(*M. Leblanc arrive au quai. Le porteur attend sur le quai.*)

LE PORTEUR: Il est dix heures huit, monsieur. Le train arrive en gare à dix heures dix — dans deux **minutes**. Est-ce que **vous voyagez** en seconde?

MONSIEUR LEBLANC: Oui monsieur, en seconde, s'il vous plaît. (*Le train arrive en gare.*) Voici le train. Il est **à l'heure.**

LE PORTEUR: **Montez**, monsieur, et prenez votre place!
(*M. Leblanc monte dans le train. Le porteur monte aussi. Ils entrent dans un compartiment. Le porteur donne la valise à M. Leblanc. M. Leblanc donne un **pourboire** au porteur.*)

LE PORTEUR: Merci bien, monsieur. Au revoir, monsieur, et **bon voyage.**

1
LE SOIR

2

3

4

5

LEÇON 26

La famille Garnier

Voici une autre famille **française**. C'est la famille Garnier. Voici les **parents**:

A.

1. Voici Monsieur Garnier.

2. Voici Madame Garnier.

Voici les enfants:

3. Voici **leur** fils **aîné**. Il s'appelle Michel.

4. Voici leur fille. Elle s'appelle Jacqueline.

5. Voici leur fils **cadet**. Il s'appelle Paul.

Madame Garnier est la sœur de Madame Leblanc et la **tante** de Pierre et de Françoise. Pierre est son **neveu**. Françoise est sa **nièce**. Monsieur Garnier est l'**oncle** de Pierre et de Françoise.

Monsieur et Madame Garnier **ont** trois enfants, deux fils et une fille. Leur**s** enfants s'appellent Michel, Jacqueline et Paul. Michel, Jacqueline et Paul sont les **cousins** de Pierre et de Françoise. Pierre est leur **cousin**. Françoise est leur **cousine**.

Jacqueline Garnier **a** deux frères, **mais** elle n'a pas de sœur. Pierre Leblanc a une sœur, mais il n'a pas de frère.

B. Répondez:

I. (*a*) Qui est l'oncle de Pierre ? (*b*) Qui est la tante de Françoise ? (*c*) Combien d'enfants ont Monsieur et Madame Garnier ? (*d*) Comment s'appelle leur fils aîné ? (*e*) Comment s'appelle leur fils cadet ? (*f*) Comment s'appelle leur fille ? (*g*) Comment s'appelle la sœur de Madame Garnier ? (*h*) Qui est l'oncle de Michel, de Jacqueline et de Paul ? (*i*) Comment s'appelle la tante de Michel ? (*j*) Qui est la cousine de Pierre ? (*k*) Comment s'appelle le cousin de Paul ? (*l*) Comment s'appellent les cousins de Pierre et de Françoise ?

II. (*a*) Est-ce que Madame Garnier a un fils ? (*b*) Comment s'appellent ses fils ? (*c*) Est-ce que Monsieur et Madame Garnier ont une fille ? (*d*) Comment s'appelle leur fille ? (*e*) Est-ce que Monsieur et Madame Garnier ont des neveu**x** ? (*f*) Comment s'appelle leur neveu ? (*g*) Est-ce que Monsieur et Madame Leblanc ont des neveux ? (*h*) Comment s'appellent leurs neveux ? (*i*) Est-ce que Françoise a une sœur ? (*j*) Est-ce que Pierre a un frère ? (*l*) Est-ce que Pierre et Françoise ont des cousins ? (*m*) Comment s'appellent leurs cousins ? (*n*) Est-ce que les enfants Leblanc ont une tante ? (*o*) Comment s'appelle leur tante ? (*p*) Est-ce que les enfants Garnier ont un oncle ? (*q*) Comment s'appelle leur oncle ?

C. Répondez:

I. (*a*) Est-ce que vous avez un père et une mère ? (*b*) Est-ce que vous avez des oncles ? (*c*) Combien de tantes avez-vous ? (*d*) Est-ce que vous avez des cousins ? (*e*) Combien de cousines avez-vous ? (*f*) Est-ce que vous avez un neveu ? (*g*) Combien de nièces avez-vous ? (*h*) Est-ce que vous avez des frères et des sœurs ? (*i*) Avez-vous une sœur aîné**e** ? (*j*) Avez-vous une sœur cadet**te** ?

II. (*a*) Avez-vous un chat à la maison ? De quelle couleur est-il ? Comment s'appelle-t-il ? (*b*) Avez-vous un chien ? De quelle couleur est-il ? Comment s'appelle-t-il ? (*c*) Avez-vous une montre ? Quelle heure est-il à votre montre ? (*d*) Avez-vous un mouchoir dans votre poche ? De quelle couleur est-il ? (*e*) Est-ce que vous avez des bonbons dans votre pupitre ? Combien de bonbons avez-vous ? (*f*) Est-ce que votre père a une auto ? De quelle couleur est-elle ? (*g*) Est-ce que vous avez un **poste** de télévision à la maison ? (*h*) Est-ce que vos parents ont une **radio** ?

D. Dialogues

(*a*) LE PROFESSEUR: Pierre, est-ce que tu as une tante?

PIERRE: { Oui monsieur, j'ai . . . tante(s).
Non monsieur, je n'ai pas de tante.

LE PROFESSEUR: Marie, est-ce que tu as un oncle?

MARIE: { Oui monsieur, j'ai . . . oncle(s).
Non monsieur, je n'ai pas d'oncle.

(*b*) LE PROFESSEUR: Pierre, combien de frères as-tu?

PIERRE: J'ai . . . frère(s), monsieur.

LE PROFESSEUR: Comment s'appelle(nt) ton (tes) frère(s)?

PIERRE: Il(s) s'appelle(nt) . . ., monsieur.

LE PROFESSEUR: Marie, combien de sœurs as-tu?

MARIE: J'ai . . . sœur(s), monsieur.

LE PROFESSEUR: Comment s'appelle(nt) ta (tes) sœurs?

MARIE: Elle(s) s'appelle(nt) . . ., monsieur.

(*c*) LE PROFESSEUR: Pierre, es-tu le fils aîné?

PIERRE: { Oui monsieur, je suis le fils aîné.
Non monsieur, je ne suis pas le fils aîné.
Non monsieur, je suis le fils cadet.
Je suis fils **unique,** monsieur.

LE PROFESSEUR: Marie, es-tu la fille aînée?

MARIE: { Oui monsieur, je suis la fille aînée.
Non monsieur, je ne suis pas la fille aînée.
Non monsieur, je suis la fille cadette.
Je suis fille **unique,** monsieur.

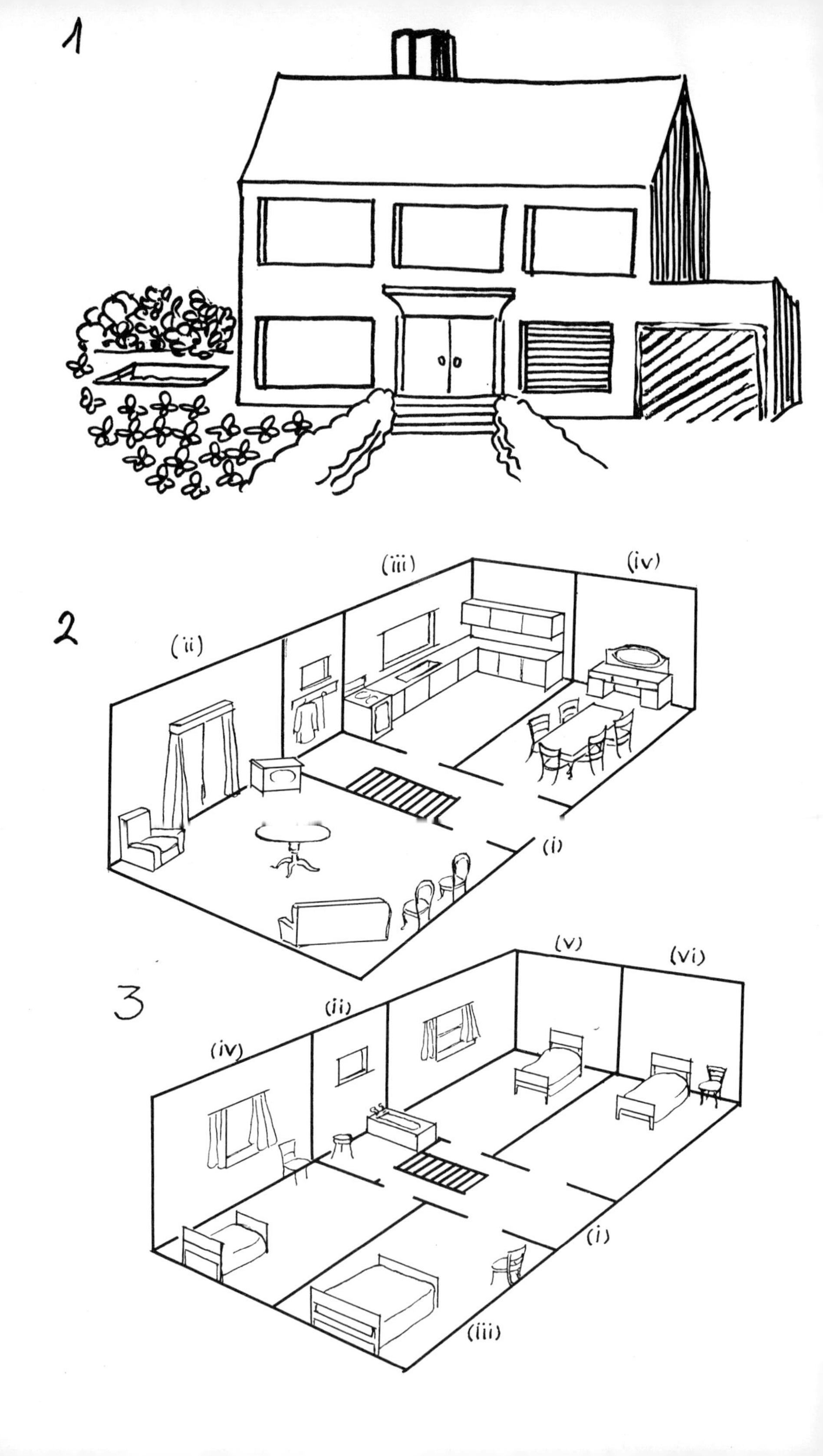

1
2
(ii)
(iii)
(iv)
(i)
3
(iv)
(ii)
(v)
(vi)
(i)
(iii)

LEÇON 27

Chez les Garnier

A.

1. Voici la maison de la famille Garnier. Comment est la maison? C'est une maison **moderne**. La maison a un **rez-de-chaussée** et un **étage**. Il y a un **jardin** devant la maison et un garage à côté de la maison. Monsieur Garnier est **représentant de commerce**; il a une auto et il voyage beaucoup.

2. Voici l'intérieur de la maison au rez-de-chaussée. Au rez-de-chaussée il y a (i) un **vestibule**, (ii) un salon, (iii) une cuisine et (iv) une **salle à manger**.

   Dans le vestibule, en face de la porte **d'entrée**, il y a un **portemanteau**. Dans le vestibule il y a aussi un **escalier**. Dans le salon il y a un fauteuil, une table, un poste de télévision, deux chaises et un **canapé**. Dans la cuisine il y a une **cuisinière**, un **évier** et des placards. Dans la salle à manger il y a des chaises, une table et un **buffet**.

   La salle à manger est **à droite de** la porte d'entrée. Le salon est **à gauche de** la porte d'entrée.

3. Voici le premier étage. Au premier étage il y a (i) un **palier**, (ii) une salle de bain et quatre chambres à coucher; (iii) la chambre de Monsieur et de Madame Garnier, (iv) la chambre de Paul, (v) la chambre de Jacqueline et (vi) la chambre de Michel.

   Dans les chambres il y a des chaises et des lits (un **lit**). Dans la salle de bain il y a une **baignoire** et un **tabouret**.

B. Répondez:

1. (*a*) Est-ce que c'est un appartement ? (*b*) Qui habite la maison ? (*c*) Comment est la maison ? (*d*) Qu'est-ce qu'il y a devant la maison ? (*e*) Qu'est-ce qu'il y a à côté de la maison ? (*f*) Est-ce que la porte d'entrée est ouverte ? (*g*) Est-ce que les portes du garage sont ouvertes ? (*h*) Combien de fenêtres est-ce qu'il y a dans la maison ? (*i*) Qu'est-ce qu'il y a sur le toit ?

2. (*a*) Combien de pièces est-ce qu'il y a au rez-de-chaussée ? (*b*) Est-ce que le salon est à côté de la cuisine ? (*c*) Est-ce que la salle à manger est à côté du salon ? (*d*) Où est le vestibule ? (*e*) Où est l'escalier ? (*f*) Combien de chaises est-ce qu'il y a dans la salle à manger ? (*g*) Qu'est-ce qu'il y a dans le salon ? (*h*) Est-ce qu'il y a des chaises dans la cuisine ?

3. (*a*) Combien de pièces est-ce qu'il y a au premier étage ? (*b*) Est-ce que la salle de bain est en face de la chambre de Paul ? (*c*) Est-ce que la chambre de Michel est à côté de la chambre de ses parents ? (*d*) Où est la chambre de Monsieur et de Madame Garnier ? (*e*) Combien de lits est-ce qu'il y a dans les chambres ? (*f*) Est-ce qu'il y a une chaise dans la chambre de Jacqueline ? (*g*) Qu'est-ce qu'il y a dans la salle de bain ? (*h*) Où est la chambre de Michel ? (*i*) Où est l'escalier ?

C. Corrigez:

1. (*a*) Monsieur Garnier est garagiste. (*b*) Les Garnier habitent un appartement. (*c*) Il y a un garage derrière la maison. (*d*) Il y a des arbres dans le jardin.

2. (*a*) Le salon est à droite du vestibule. (*b*) La cuisine est à gauche du vestibule. (*c*) Il y a une salle de bain en face de la porte d'entrée. (*d*) Il y a des lits dans le salon.

3. (*a*) Les chambres à coucher sont au rez-de-chaussée. (*b*) La salle de bain est à côté de la chambre de Monsieur et de Madame Garnier.

D. Ecoutez le professeur!

LE PROFESSEUR: (*à la classe*) Regardez-moi! Je touche l'œil gauche. Je touche l'œil droit. Je ferme l'œil gauche. Je ferme l'œil droit. Je touche le pied gauche. Je touche le pied droit. **Je remue** le pied gauche. Je remue le pied droit.

Je touche la jambe gauche. Je touche la jambe droite. Je remue la jambe gauche. Je remue la jambe droite. **Je lève** la main gauche. Je lève la main droite. **Je baisse** les mains.

Dialogues

(*a*) LE PROFESSEUR: Pierre, touche un œil! (*Pierre touche l'œil gauche.*) Est-ce que tu touches l'œil droit?

PIERRE: Non monsieur, je touche l'œil gauche.

LE PROFESSEUR: Marie, **remue** un pied! (*Elle remue le pied droit.*) Est-ce que **tu remues** le pied gauche?

MARIE: Non monsieur, je remue le pied droit.

LE PROFESSEUR: Jean, **lève** une main! (*Jean lève la main gauche.*) Est-ce que **tu lèves** la main droite?

JEAN: Non monsieur, je lève la main gauche.

(*b*) LE PROFESSEUR: (*à la classe*) Touchez les oreilles! Est-ce que vous touchez les yeux?

LA CLASSE: Non monsieur, nous touchons les oreilles.

LE PROFESSEUR: Remuez les bras! Est-ce que vous remuez les pieds?

LA CLASSE: Non monsieur, **nous remuons** les bras.

LE PROFESSEUR: Levez les mains! Est-ce que vous levez les jambes?

LA CLASSE: Non monsieur, **nous levons** les mains.

LE PROFESSEUR: **Baissez** les mains! Est-ce que **vous baissez** les pieds?

LA CLASSE: Non monsieur, **nous baissons** les mains.

(*c*) LE PROFESSEUR: (*à la classe*) A la maison nous avons une cuisine, mais nous n'avons pas de salle à manger. Est-ce que vous avez une salle à manger chez vous?

PIERRE: { Oui monsieur, nous avons une salle à manger.
Non monsieur, nous n'avons pas de salle à manger.

LE PROFESSEUR: (*à la classe*) A la maison nous avons un jardin, mais nous n'avons pas de garage. Est-ce que vous avez un garage chez vous?

MARIE: { Oui monsieur, nous avons un garage.
Non monsieur, nous n'avons pas de garage.

1
2
3
4

LEÇON 28

Les enfants

A.

1. MICHEL.

Quel âge a Michel ? Il a treize ans.

Comment est Michel ? Il est **grand**, il est **blond** et il est très **sportif**. Il **aime bien** le **sport**, **surtout** le **football**. Il a un **ballon** et il aime bien **jouer au** football avec des camarades de classe.

2. PIERRE.

Et Pierre, quel âge a-t-il ? Il a douze ans.

Comment est-il ? Il n'est pas très grand. Il n'est pas blond ; il a les cheveux bruns et il porte des **lunettes**. Il n'est pas très sportif. Il a une **bicyclette** et il aime surtout le **cyclisme**.

3. JACQUELINE.

Jacqueline a onze ans. Elle est grand**e**, elle est blond**e** et elle a une **queue de cheval**. Elle est sporti**ve**. Elle aime surtout le **tennis**. Elle a une **raquette** et une **balle** et elle aime bien jouer au tennis avec des amies.

4. FRANÇOISE ET PAUL.

Françoise a huit ans et Paul a quatre ans. Paul et Françoise ne sont pas grand**s**. Paul est **petit**. Françoise est petit**e**. Ils ne sont pas sporti**fs**, parce qu'ils sont petit**s**. Ils aime**nt** bien les jouets (un **jouet**). Françoise **joue** avec sa **poupée** et Paul joue avec son **camion mécanique**.

B. Répondez:

1. (*a*) Est-ce que Michel est petit ? (*b*) A-t-il les cheveux bruns ? (*c*) Est-ce qu'il porte des lunettes ? (*d*) Quel âge a-t-il ? (*e*) Qu'est-ce qu'il a à la main ? (*f*) Avec qui est-ce qu'il joue au football ?

2. (*a*) Comment est Pierre ? (*b*) Est-il sportif ? (*c*) Quel âge a-t-il ? (*d*) A-t-il un ballon ? (*e*) Qu'est-ce qu'il porte ?

3. (*a*) Est-ce que Jacqueline est petite ? (*b*) Qu'est-ce qu'elle a à la main ? (*c*) Est-ce qu'elle aime le football ? (*d*) Comment sont ses cheveux ? (*e*) Avec qui est-ce qu'elle joue au tennis ? (*f*) Quel âge a-t-elle ?

4. (*a*) Est-ce que Paul et Françoise sont grands ? (*b*) Est-ce que Françoise est blonde ? (*c*) Est-ce que Paul porte des lunettes ? (*d*) Est-il sportif ? (*e*) Quel âge a-t-il ? (*f*) Avec **quoi** est-ce qu'il joue ? (*g*) Et Françoise, est-elle grande ? (*h*) Quel âge a-t-elle ? (*i*) Avec quoi est-ce qu'elle joue ?

C. Répondez:

(*a*) Quel âge avez-vous ? (*b*) Etes-vous blond(e) ? (*c*) Etes-vous sporti(f)(ve) ? (*d*) Etes-vous grand(e) ? (*e*) Avez-vous une bicyclette ? (*f*) Avez-vous un ballon ? (*g*) Avez-vous une raquette et une balle ? (*h*) Est-ce que vous portez des lunettes ? (*i*) Comment sont vos cheveux ? (*j*) Quel âge a (ont) votre (vos) frère(s) ? (*k*) Quel âge a (ont) votre (vos) sœur(s) ? (*l*) Quel âge a (ont) votre (vos) cousin(s) ? (*m*) Quel âge a (ont) votre (vos) cousine(s) ? (*n*) Quel âge ont vos parents ? (*o*) Est-ce que votre père porte des lunettes ?

Complétez votre portrait!

J'ai . . . ans. Je suis . . . Je ne suis pas . . . J'ai les cheveux . . . et les yeux . . . Je p . . . . (ne p . . . . pas) des (de) lunettes. Je s . . . (ne s . . . pas) sporti(f)(ve). J'aime bien le f . . . . et le t . . . . . Je joue au f . . . . (au t . . . . .) avec m . . camarades.

Faites le portrait de votre frère ou de votre sœur!

D. Dialogues

(*a*) LE PROFESSEUR: Pierre, es-tu grand/blond/sportif etc?

PIERRE: Oui (non) monsieur, je (ne) suis (pas) . . .

LE PROFESSEUR: Marie, es-tu grande/blonde/sportive etc?

MARIE: Oui (non) monsieur, je (ne) suis (pas) . . .

(*b*) LE PROFESSEUR: (*au 1er élève*) Tu as les cheveux blonds.
(*au 2e élève*) Tu as les cheveux **roux.**
(*au 1er élève*) As-tu les cheveux noirs?

1er ÉLÈVE: Non monsieur, j'ai les cheveux blonds.

LE PROFESSEUR: (*au 2e élève*) As-tu les cheveux bruns?

2e ÉLÈVE: Non monsieur, j'ai les cheveux roux.

(*c*) LE PROFESSEUR: (*à la classe*) **Je joue** au tennis et au football. **J'aime** jouer au tennis, mais je n'aime pas jouer au football. Pierre, est-ce que **tu aimes** jouer au tennis?

PIERRE: { Oui monsieur, j'aime jouer au tennis.
Non monsieur, je n'aime pas jouer au tennis, mais j'aime jouer au football.

(*d*) LE PROFESSEUR: (*à la classe*) **Nous jouons** au tennis avec des raquettes. Est-ce que **vous jouez** au football avec des raquettes?

LA CLASSE: Non monsieur, nous jouons au football avec des ballons.

LE PROFESSEUR: Est-ce que vous jouez au tennis avec des ballons?

LA CLASSE: Non monsieur, nous jouons au tennis avec des balles.

LE PROFESSEUR: Est-ce que vous jouez au football avec des balles?

LA CLASSE: Non monsieur, nous jouons au football avec des ballons.

Encore des questions

Aimez-vous les chiens? le pain? les bonbons? les pommes? les cigarettes? les fleurs? les glaces? les gâteaux? la télévision? le cinéma? le fromage? les fruits? la bière? le français?

1
2
3
4
5
CRAYONS
6

LEÇON 29

Paul n'est pas sage aujourd'hui

A.

1. Paul est dans sa chambre. Il est **seul** parce que Michel est au collège, Jacqueline est à l'école et maman est dans la cuisine. Paul ne fait rien. Il regarde ses crayons. Il aime bien le **dessin** et il **veut** faire un dessin, mais il n'a pas de papier (le **papier**). Il est **triste** parce qu'il n'a pas de papier.

2. **Soudain** il a une **idée**. Il n'a pas de papier, mais il y a **toujours** le mur de la chambre ! Il va faire un dessin sur le mur de sa chambre.

3. Et voilà le dessin de Paul. C'est un **joli** train. Derrière la grande locomotive il y a un petit **wagon**. Et sur la locomotive il y a un **mécanicien**. Le train de Paul a cinq roues (une **roue**). Paul est content **de** son joli train.

4. Et maintenant, qu'est-ce qu'il fait ? Il regarde dans un **tiroir** de la **commode**. Il **cherche** sa boîte de crayons de couleur. Où est-elle, la boîte ? Paul veut **colorier** son dessin du train.

5. Il **trouve** ses crayons de couleur. Il trouve la boîte dans le tiroir. Il regarde les crayons. Il va maintenant colorier son joli dessin.

6. Mais, **à ce moment**, Madame Garnier entre dans la chambre de son fils. **Quelle horreur** ! Qu'est-ce qu'elle **voit** ? Elle voit le dessin de Paul sur le mur. Elle n'est **pas du tout** content**e**. Elle est fâché**e** parce que le mur de la chambre est **abîmé**. Mais Paul est content. Il **montre** sa joli**e** locomotive à sa mère.

B. Répondez:

I. 1. (*a*) Où est Paul ? (*b*) Pourquoi est-il seul ? (*c*) Qu'est-ce qu'il fait ? (*d*) Est-il content ? (*e*) Qu'est-ce qu'il veut faire ?

2. (*a*) Qu'est-ce que Paul a à la main ? (*b*) Est-ce qu'il a du papier ? (*c*) Où est-ce qu'il va faire son dessin ?

3. (*a*) Où est le dessin de Paul ? (*b*) Qu'est-ce que c'est ? (*c*) Comment est le train ? (*d*) Comment est la locomotive ? (*e*) Qui est sur la locomotive ? (*f*) Est-ce que Paul est triste ?

4. (*a*) Qu'est-ce que Paul cherche ? (*b*) Où est-ce qu'il cherche ses crayons ? (*c*) Qu'est-ce qu'il veut faire maintenant ?

5. (*a*) Est-ce qu'il cherche la boîte ? (*b*) Qu'est-ce qu'il y a dans la boîte ? (*c*) Est-ce que le tiroir est fermé ?

6. (*a*) Qui entre dans la chambre ? (*b*) Qu'est-ce qu'elle voit ? (*c*) Est-ce que maman est contente ? (*d*) Pourquoi est-elle fâchée ? (*e*) Qu'est-ce que Paul fait ?

II. 1. (*a*) Qui est dans la chambre ? (*b*) Où sont Michel et Jacqueline ? (*c*) Est-ce que Paul est sur son lit ? (*d*) Pourquoi est-il triste ?

2. (*a*) Quelle est l'idée de Paul ? (*b*) Est-ce qu'il a un stylo ?

3. (*a*) Qu'est-ce qu'il y a sur le mur ? (*b*) Comment est le wagon ? (*c*) Combien de roues est-ce qu'il y a sur le dessin ? (*d*) Où est Paul ? (*e*) Est-ce que le mécanicien est dans le wagon ?

4. (*a*) Maintenant où est Paul ? (*b*) Est-ce qu'il ferme le tiroir ? (*c*) Combien de tiroirs est-ce qu'il y a dans la commode ?

5. (*a*) Qu'est-ce que Paul a à la main ? (*b*) Qu'est-ce qu'il va faire ?

6. (*a*) Est-ce que maman est maintenant dans la cuisine ? (*b*) Est-elle contente du dessin ? (*c*) Comment est le mur de la chambre ? (*d*) Est-ce que Paul est triste maintenant ?

C. Corrigez:

1. (*a*) Paul n'aime pas le dessin. (*b*) Il a du papier.
2. (*a*) Il y a un dessin sur le mur. (*b*) Paul a des crayons à la main.
3. (*a*) La locomotive est petite. (*b*) Le wagon est grand.
4. Paul cherche ses crayons dans un placard.
5. (*a*) Les tiroirs sont fermés. (*b*) Paul regarde son dessin.
6. (*a*) Maman ne voit pas le dessin. (*b*) Le mur de la chambre est joli. (*c*) Paul montre ses crayons à sa mère.

D. Regardez et écoutez le professeur!

LE PROFESSEUR: (*Il se lève.*) **Je me lève.** (*Il* **s'assied.**) **Je m'assieds.** Et encore une fois, je me lève et je m'assieds. (*à Pierre*) Lève-toi! (*Pierre se lève.*) **Tu te lèves.** Maintenant, assieds-toi! (*Pierre s'assied.*) **Tu t'assieds.** (*à Marie*) Lève-toi! (*Elle se lève.*) Tu te lèves. Et maintenant, assieds-toi! (*Elle s'assied.*) Tu t'assieds.

Dialogues

(*a*) LE PROFESSEUR: Pierre, lève-toi! Qu'est-ce que tu fais?

PIERRE: Je me lève, monsieur.

LE PROFESSEUR: Assieds-toi! Qu'est-ce que tu fais?

PIERRE: Je m'assieds, monsieur.

(*b*) LE PROFESSEUR: (*Il se lève.*) Est-ce que je m'assieds?

LA CLASSE: Non, **vous vous levez.**

LE PROFESSEUR: (*Il s'assied.*) Et maintenant, est-ce que je me lève?

LA CLASSE: Non, maintenant **vous vous asseyez.**

(*c*) LE PROFESSEUR: (*à la classe*) Je prends la **craie. Je veux** faire un dessin au tableau. **Je dessine** une fleur. Voilà! **Je vois** une fleur. **Vous voyez** une fleur. **Nous voyons** une fleur au tableau. Et maintenant Pierre, **veux-tu** faire un dessin au tableau?

PIERRE: Oui monsieur.

LE PROFESSEUR: Qu'est-ce que tu veux dessiner?

PIERRE: Je veux dessiner un(e) . . . , monsieur. (*Il fait son dessin.*)

LE PROFESSEUR: Merci, Pierre. (*à la classe*) Qu'est-ce que vous voyez au tableau?

LA CLASSE: Nous voyons un(e) . . . , monsieur.

LE PROFESSEUR: Marie, veux-tu colorier le dessin de Pierre?

MARIE: Oui, je veux bien, monsieur.

LE PROFESSEUR: (*à la classe*) Est-ce que vous voyez un(e) . . . noir(e)?

LA CLASSE: Non monsieur, nous voyons un(e) . . . . . .

LE PROFESSEUR: Jean, veux-tu faire un dessin au tableau?

(et ainsi de suite)

1
2
3
4
5

LEÇON 30

Jacqueline et Michel mettent la table

A.

1. Jacqueline est dans la salle à manger. Elle **met** la table pour le déjeuner de la famille. Elle met une **nappe** blanche sur la table de la salle à manger.

2. Maintenant elle porte un **plateau**. Sur le plateau il y a des verres et des assiettes; un petit verre et quatre grand**s** verres, une petite assiette et quatre grande**s** assiettes.

3. Michel aussi met la table. Michel et Jacqueline met**tent** la table **ensemble**. Sur la table il y a cinq couverts, un **couvert** pour Paul et quatre couverts pour les grande**s** personnes (une **personne**).

   Pour Paul il y a un petit verre, un petit **couteau,** une petite assiette, une petite **cuiller** et une petite **fourchette**. Pour les grandes personnes il y a quatre grands verres, quatre grand**s** couteau**x**, quatre grandes assiettes, quatre grande**s** cuillers et quatre grande**s** fourchettes.

4. Jacqueline et Michel **apportent** la **boisson** pour le déjeuner. Ils apportent de l'eau et du vin. Jacqueline **apporte** une carafe d'eau et Michel apporte une bouteille de vin.

5. Ils mettent la boisson sur la table. Jacqueline met la carafe d'eau sur la table. Michel met la bouteille de vin sur la table. **Ça y est**! Une table de cinq couverts. **Tout** est **prêt** pour le déjeuner.

B. Répondez:

I. 1. (*a*) Où est Jacqueline ? (*b*) Qu'est-ce qu'elle fait ? (*c*) Qu'est-ce qu'elle met sur la table ?

2. (*a*) Qui porte le plateau ? (*b*) Qu'est-ce qu'il y a sur le plateau ? (*c*) Combien de verres sont grands ? (*d*) Combien de verres sont petits ? (*e*) Combien d'assiettes sont grandes ? (*f*) Combien d'assiettes sont petites ?

3. (*a*) Qui met la table avec Jacqueline ? (*b*) Qu'est-ce qu'il y a sur la table ? (*c*) Combien de couteaux sont grands ? (*d*) Combien de verres sont petits ? (*e*) Combien de cuillers sont grandes ? (*f*) Combien de fourchettes sont petites ?

4. (*a*) Qu'est-ce que les enfants font ? (*b*) Est-ce que Michel apporte de l'eau ? (*c*) Est-ce que Jacqueline apporte du vin ? (*d*) Est-ce que le vin est dans une carafe ?

5. (*a*) Où est-ce que les enfants mettent la boisson ? (*b*) Qui met la bouteille de vin sur la table ? (*c*) Combien de couverts est-ce qu'il y a sur la table ? (*d*) Est-ce que tout est prêt pour le dîner ?

II. 1. (*a*) Qui met la nappe sur la table ? (*b*) De quelle couleur est la nappe ? (*c*) Est-ce que la table est dans la cuisine ?

2. (*a*) Qu'est-ce que Jacqueline porte ? (*b*) Est-ce qu'il y a des couteaux, des cuillers et des fourchettes sur la table ? (*c*) Pour qui est la petite assiette ? (*d*) Pour qui est le petit verre ?

3. (*a*) Est-ce que Jacqueline est maintenant seule dans la salle à manger ? (*b*) Qu'est-ce que les enfants font ? (*c*) Combien de couverts est-ce qu'il y a sur la table ? (*d*) Pour qui est le petit couteau ? (*e*) Pour qui sont les grandes fourchettes ?

4. (*a*) Qui apporte la carafe ? (*b*) Qui apporte la bouteille ? (*c*) Qu'est-ce qu'il y a dans la carafe ? (*d*) Est-ce qu'il y a du lait dans la bouteille ? (*e*) Est-ce que Jacqueline marche derrière Michel ?

5. (*a*) Est-ce que Michel est seul dans la salle à manger ? (*b*) Qu'est-ce que les enfants font ? (*c*) Est-ce qu'il y a du pain sur la table ?

C. Complétez:

(*a*) Un bébé est p . . . .; un enfant de treize ans est g . . . .
(*b*) Papa n'est pas content; il est f . . . .
(*c*) Maman est dans le salon avec papa; elle n'est pas s . . . .
(*d*) Papa et maman se promènent e . . . . dans le jardin.
(*e*) Je mange le potage avec une c . . . . . .
(*f*) Je mange la viande avec un c . . . . . . et une f . . . .
(*g*) Je dessine et j'écris avec un c . . . . . et un s . . . .
(*h*) Je bois de l'eau dans un v . . . .
(*i*) Je bois du thé dans une t . . . .
(*j*) Je regarde et je vois avec mes y . . .

Calculez en français:

(*a*) $12\times 4=$
(*b*) $17+13=$
(*c*) $2\times 25=$
(*d*) $11+21=$
(*e*) $2\times 16=$
(*f*) $36+14=$
(*g*) $21+17=$
(*h*) $3\times 10=$
(*i*) $5\times 7=$
(*j*) $31+15=$
(*k*) $7\times 7=$
(*l*) $9+11=$

D. Dialogues

(*a*) LE PROFESSEUR: (*à la classe*) Je prends un cahier. C'est le cahier de Pierre. **Je mets** le cahier sur le pupitre de Pierre. Je prends un autre cahier; je mets ce cahier sur le pupitre de Marie. Je prends un autre cahier; je mets ce cahier sur le pupitre de Jean. (*à Pierre*) Prends les autres cahiers! Distribue ces cahiers! (*Pierre met un cahier sur le pupitre de Jeanne*) Est-ce que **tu mets** le cahier sur le pupitre de Marie?

PIERRE: Non monsieur, je mets le cahier sur le pupitre de Jeanne.

(et ainsi de suite)

(*b*) LE PROFESSEUR: Pierre, lève-toi!

(*Pierre se lève; le professeur se lève aussi*)

(*à la classe*) Pierre et moi, **nous nous levons.**

Pierre, assieds-toi!

(*Pierre s'assied; le professeur s'assied aussi*)

(*à la classe*) Pierre et moi, **nous nous asseyons.**

LE PROFESSEUR: (*à la classe*) Levez-vous!

(*Les élèves se lèvent*)

Est-ce que vous vous asseyez?

LES ÉLÈVES: Non monsieur, nous nous levons.

LE PROFESSEUR: (*à la classe ou à des élèves*) Asseyez-vous!

(*Les élèves s'asseyent*)

Est-ce que vous vous levez?

LES ÉLÈVES: Non monsieur, nous nous asseyons.

(et ainsi de suite)

Scène chez les Garnier

PERSONNAGES: Madame Garnier, Jacqueline, Michel.
(*Madame Garnier et les enfants sont dans la cuisine.*)

MADAME: (*à Jacqueline*) Quelle heure est-il à la pendule de la salle à manger, ma petite?

JACQUELINE: Il est midi moins le quart, maman.

MADAME: Oh! là! là! Nous sommes **en retard** aujourd'hui. (*à Jacqueline et à Michel*) Allez dans la salle à manger et mettez la table, s'il vous plaît, mes enfants!

LES ENFANTS: Mais oui, **certainement**, maman.

MADAME: **Alors**, allez chercher la nappe, les couteaux, les cuillers et les fourchettes dans le tiroir du buffet! Allez-y! **Vite,** mes enfants!

(*Dans la salle à manger. Jacqueline met la nappe sur la table. Michel compte les couteaux etc.*)

MICHEL: Un, deux, trois, quatre, cinq couteaux...

JACQUELINE: Quatre grands couteaux, Michel, et un petit couteau pour Paul.

MICHEL: Ah, oui. Voilà! Et quatre grandes cuillers, quatre grandes fourchettes.... Une petite cuiller et une petite fourchette. Ça y est!

JACQUELINE: Moi, je vais chercher les verres et les assiettes dans la cuisine.

(*Jacqueline entre dans la cuisine et parle à sa mère*)

JACQUELINE: Où est le plateau, maman?

MADAME: Dans le placard, **chérie**, à gauche.

JACQUELINE: Et les verres et les assiettes?

MADAME: Dans le placard aussi, ma petite, sur le rayon à droite.

(*Jacqueline est dans la salle à manger avec Michel. Elle met les verres et les assiettes sur la table.*)

JACQUELINE: (*Elle compte*) Quatre grands verres et un petit verre pour Paul .... quatre grandes assiettes et une petite assiette.... Voilà!

MICHEL: C'est tout, n'est-ce pas?

JACQUELINE: Mais non, Michel. Où est la boisson?

MICHEL: Eh bien, moi je vais chercher le vin.

JACQUELINE: Et moi, je vais chercher l'eau.

(*Ils vont chercher l'eau et le vin et mettent la carafe et la bouteille sur la table. Madame Garnier entre dans la salle à manger.*)

MADAME: Tout est prêt, **donc**?

LES ENFANTS: Oui maman. **Bien sûr.**

MADAME: Merci bien, mes enfants.

LES ENFANTS: **Pas de quoi**, maman.

LEÇON 31

Quel temps fait-il?

A.

1. Il fait **mauvais**. Le **ciel** est gris et **il pleut**. Monsieur Garnier marche dans la rue. Il porte un **imperméable** et il a un **parapluie** à la main.

2. Il fait **beau**. Le ciel est bleu. Le **soleil brille** et il fait **chaud**. Pierre et Michel **se baignent** dans la **rivière**. Pierre porte un **caleçon** de bain. Michel **nage** dans l'eau. Paul ne **se baigne** pas. Il joue avec un petit **bateau** et il regarde son grand frère dans l'eau.

3. Il fait du **vent**. Le ciel est gris. Il y a des nuages (un **nuage**) dans le ciel, mais il ne pleut pas. Le vent **emporte** le béret de Monsieur Leblanc. Monsieur Leblanc **court après** son béret. Le chien aussi court après le béret de son **maître**. Monsieur Leblanc et son chien cour**ent** après le béret.

4. Il fait **froid**. **Il neige** et **il gèle**. Françoise et Jacqueline **glissent** sur la **glace**. Françoise **tombe**.

B. Répondez:

I. 1. (*a*) Quel temps fait-il ? (Il fait m . . . . . .) (*b*) Comment est le ciel ? (*c*) Est-ce qu'il neige ? (*d*) Qui marche dans la rue ? (*e*) Est-ce que Monsieur Garnier porte un caleçon de bain ?

2. (*a*) Quel temps fait-il ? (*b*) Comment est le ciel ? (*c*) Est-ce qu'il fait froid ? (*d*) Qui se baigne dans la rivière ? (*e*) Est-ce que Pierre porte un imperméable ?

3. (*a*) Quel temps fait-il ? (*b*) Comment est le ciel ? (*c*) Est-ce qu'il pleut ? (*d*) Est-ce que le soleil brille ? (*e*) Est-ce que le béret de Monsieur Leblanc est sur sa tête ?

4. (*a*) Quel temps fait-il ? (*b*) Est-ce que le ciel est bleu ? (*c*) Est-ce qu'il pleut ? (*d*) Qui glisse sur la glace ? (*e*) Qui tombe ?

II. 1. (*a*) Est-ce qu'il fait beau ? (*b*) De quelle couleur est le ciel ? (*c*) Où est Monsieur Garnier ? (*d*) Qu'est-ce qu'il fait ? (*e*) Qu'est-ce qu'il porte ? (*f*) Qu'est-ce qu'il a à la main ?

2. (*a*) Est-ce qu'il pleut ? (*b*) De quelle couleur est le ciel ? (*c*) Est-ce que Paul se baigne ? (*d*) Qu'est-ce que Michel fait ? (*e*) Est-ce que Pierre nage ? (*f*) Avec quoi est-ce que Paul joue ?

3. (*a*) Est-ce qu'il neige ? (*b*) Qu'est-ce que le chien fait ? (*c*) Qu'est-ce qu'il y a dans le ciel ? (*d*) Qu'est-ce que le vent emporte ? (*e*) Est-ce que Monsieur Leblanc a un parapluie ?

4. (*a*) Est-ce qu'il fait chaud ? (*b*) Est-ce que le soleil brille ? (*c*) Qu'est-ce que les fillettes font ? (*d*) Est-ce que Jacqueline tombe ?

C. Complétez:

(*a*) **Quand** il pleut, je porte un i . . . . (*b*) Quand il f . . . f . . . . je porte un manteau (pardessus). (*c*) Quand il f . . . c . . . ., les enfants se baignent. (*d*) Quand il pleut, il y a des n . . . . . dans le ciel. (*e*) Quand il fait chaud, je b . . . de la limonade. (*f*) Quand il fait chaud, nous m . . . . des glaces. (*g*) Quand il fait froid nous b . . . . . du café chaud. (*h*) Les bébés b . . . . . . du lait. (*i*) Les chats aussi b . . . . . . du lait. (*j*) Les Français b . . . . . . du vin au déjeuner.

D. Dialogues

(*a*) LE PROFESSEUR: (*à la classe*) Quand il pleut **nous mettons** nos imperméables, n'est-ce pas ? Est-ce que vous mettez vos imperméables quand le soleil brille ?

LA CLASSE: Non monsieur, nous ne mettons pas nos imperméables quand le soleil brille.

LE PROFESSEUR: Est-ce que vous mettez vos manteaux (pardessus) quand il fait chaud ?

LA CLASSE: Non monsieur, nous ne mettons pas nos manteaux (pardessus) quand il fait chaud.

(*b*) LE PROFESSEUR: (*à la classe*) Quand **je me baigne** je porte un caleçon (un **maillot**). Pierre, qu'est-ce que tu portes quand **tu te baignes**?

PIERRE: Je porte un caleçon, monsieur.

LE PROFESSEUR: Et Marie, qu'est-ce que tu portes quand tu te baignes?

MARIE: Je porte un maillot, monsieur.

LE PROFESSEUR: Et Jean, est-ce que tu portes un maillot quand tu te baignes?

JEAN: Non monsieur, je porte un caleçon.

(*c*) LE PROFESSEUR: (*à la classe*) Je me baigne **quelquefois** dans la rivière, quelquefois dans une **piscine** et quelquefois dans la **mer.** (*à Pierre*) Où est-ce que tu te baignes?

PIERRE: Je me baigne dans . . . , monsieur.

LE PROFESSEUR: Marie, où est-ce que tu te baignes?

(et ainsi de suite)

(*d*) LE PROFESSEUR: (*à 2 élèves qui se baignent dans la rivière*) Est-ce que vous vous baignez dans la mer ?

LES ÉLÈVES: Non monsieur, **nous nous baignons** dans la rivière.

(et ainsi de suite)

(*e*) LE PROFESSEUR: Pierre, **apporte**-moi ton cahier! Marie, apporte-moi ta règle! Jean, apporte-moi ton livre! Jeanne, apporte-moi ton stylo! (*à Pierre, Marie, Jean, Jeanne etc.*) Qu'est-ce que **tu apportes**?

LES ÉLÈVES: **J'apporte** mon (ma) (mes) . . . , monsieur.

LE PROFESSEUR: (*à Pierre, Marie, Jean, Jeanne etc.*) **Emporte** ton (ta) (tes) . . .! Qu'est-ce que **tu emportes**?

LES ÉLÈVES: **J'emporte** mon (ma) (mes) . . . , monsieur.

Encore des questions

Est-ce que vous mettez (portez) un caleçon de bain:

(*a*) quand vous vous baignez dans la salle de bain ? (*b*) quand vous allez au cinéma ? (*c*) quand vous marchez dans la rue ?

Est-ce que vous mettez (portez) un chapeau:

(*a*) quand vous allez à l'église ? (*b*) quand vous vous baignez ? (*c*) quand vous voyagez ? (*d*) quand vous travaillez en classe ?

1

JUIN

LUNDI	MARDI	MERCREDI	JEUDI	VENDREDI	SAMEDI	DIMANCHE
*	*	*	*	*	1	2
3	4	5	6	7	8	9
10	11	12	13	14	15	16
17	18	19	20	21	22	23
24	25	26	27	28	29	30

LEÇON 32

Le calendrier

A.

1. Voici un **calendrier**. Nous sommes au mois (un **mois**) de **juin**. Le mois de juin a trente jours (un **jour**).

   Il y a sept jours dans une **semaine**. Voici les jours de la semaine: **lundi**, **mardi**, **mercredi**, **jeudi**, **vendredi**, **samedi**, **dimanche**.

   Quelle est la **date** aujourd'hui ?

   1. C'est le samedi premier juin.
   2. C'est le dimanche deux juin.
   3. C'est le lundi trois juin.
   4. C'est le mardi quatre juin.
   5. C'est le mercredi cinq juin.
   6. C'est le jeudi six juin.
   7. C'est le vendredi sept juin.

   Dans une **année** il y a douze mois et quatre saisons (une **saison**).

2. C'est le **printemps**. **Au** printemps il fait beau et il y a des fleurs dans les jardins. Les mois du printemps sont **mars**, **avril** et **mai**.

3. C'est l'**été**. **En** été il fait chaud et il y a **beaucoup de** gens sur la **plage**, **au bord de** la mer. Les mois de l'été sont **juin**, **juillet** et **août**.

4. C'est l'**automne**. **En** automne il y a des fruits sur les arbres et les feuilles (une **feuille**) tomb**ent**. Les mois de l'automne sont **septembre**, **octobre** et **novembre**.

5. C'est l'**hiver**. **En** hiver il fait froid. Il n'y a **plus** de feuilles sur les arbres. Il gèle et la **terre** est **couverte de** neige (la **neige**) blanche. Les mois de l'hiver sont **décembre**, **janvier** et **février**.

B. Répondez:

1. Regardez le calendrier!

   (*a*) Combien de jours est-ce qu'il y a dans le mois de juin ?
   (*b*) Combien de dimanches est-ce qu'il y a sur le calendrier ?
   (*c*) Combien de vendredis est-ce qu'il y a sur le calendrier ?
   (*d*) Quelle est la date du deuxième mardi de juin ?
   (*e*) Quelle est la date du troisième jeudi de juin ?
   (*f*) Quelle est la date du quatrième lundi de juin ?

2. (*a*) Qu'est-ce qu'il y a dans les jardins au printemps ? (*b*) Quels sont les mois du printemps ? (*c*) Est-ce qu'il y a des feuilles sur l'arbre ? (*d*) Est-ce qu'il fait mauvais ? (*e*) Où sont les fleurs ?

3. (*a*) Est-ce que c'est l'hiver ? (*b*) Où sont les gens ? (*c*) Qu'est-ce qu'il y a sur la mer ? (*d*) Est-ce que le garçon est dans la mer ? (*e*) Qu'est-ce qu'il porte ? (*f*) Quels sont les mois de l'été ?

4. (*a*) Est-ce qu'il neige ? (*b*) Qu'est-ce qu'il y a sur l'arbre ? (*c*) Qu'est-ce qu'il y a dans le ciel ? (*d*) Quels sont les mois de l'automne ?

5. (*a*) Sommes-nous au printemps ? (*b*) Est-ce qu'il fait chaud ? (*c*) Qu'est-ce qu'il y a sur la terre ? (*d*) Est-ce qu'il y a des fruits sur l'arbre ?

Ecrivez en toutes lettres:

(*a*) Le 1er septembre
(*b*) Le 10 janvier
(*c*) Le 11 mars
(*d*) Le 31 août
(*e*) Le 28 février
(*f*) Le 2 octobre
(*g*) Le 30 novembre
(*h*) Le 21 juin
(*i*) Le 11 mai
(*j*) Le 1er avril
(*k*) Le 25 décembre
(*l*) Le 14 juillet
(*m*) Le 5 novembre
(*n*) Le 6 janvier
(*o*) Le 31 décembre

C. Répondez:

(*a*) Quelle est la date aujourd'hui ? (*b*) Combien de jours est-ce qu'il y a dans une semaine ? (*c*) Combien de mois est-ce qu'il y a dans une année ? (*d*) Combien de saisons est-ce qu'il y a dans une année ? (*e*) Est-ce qu'il pleut aujourd'hui ? (*f*) Sommes-nous maintenant en hiver ? (*g*) Est-ce que vous vous baignez en hiver ? (*h*) Est-ce que vous allez au collège le vingt-cinq décembre ? (*i*) Est-ce que le jardin est couvert de neige en été ? (*j*) De quelle couleur sont les feuilles en automne ? (*k*) De quelle couleur est la neige ? (*l*) De quelle couleur est la mer ?

Complétez:

(*a*) Dans une semaine il y a sept . . . . . (*b*) Dans une année il y a douze . . . . (*c*) Dans un . . . . il y a vingt-quatre heures. (*d*) Dans une . . . . . il y a quatre saisons. (*e*) . . . . est le premier mois de l'année. (*f*) . . . . est le deuxième mois de l'année. (*g*) Le mois de . . . . a vingt-huit jours. (*h*) Les mois de s . . . ., a . . . ., j . . . et n . . . . ont trente jours. (*i*) Le mois de juillet a t . . . . . et u . jours. (*j*) Nous n'allons pas au collège le s . . . . . et le d . . . .

D. Dialogues

(*a*) LE PROFESSEUR: (*à la classe*) Quand il fait beau, **je me promène.** Quand il fait mauvais, je ne me promène pas.

En été, quand il fait chaud, je me baigne. En hiver, quand il fait froid je ne me baigne pas. Pierre, est-ce que **tu te promènes** quand il pleut?

PIERRE: Non monsieur, quand il pleut je ne me promène pas.

LE PROFESSEUR: Marie, est-ce que tu te baignes quand il gèle?

MARIE: Non monsieur, quand il gèle je ne me baigne pas.

(et ainsi de suite)

(*b*) LE PROFESSEUR : (*à la classe*) Est-ce que **vous vous promenez** maintenant ?

LA CLASSE : Non monsieur, **nous** ne **nous promenons** pas.

LE PROFESSEUR : Est-ce que vous vous promenez quand il fait mauvais ?

LA CLASSE : Non monsieur, quand il fait mauvais nous ne nous promenons pas.

LE PROFESSEUR : Est-ce que vous vous baignez en hiver ?

LA CLASSE : Non monsieur, en hiver nous ne nous baignons pas.

LE PROFESSEUR : Est-ce que vous vous asseyez quand le professeur entre dans la salle de classe ?

LA CLASSE : Non monsieur, nous ne nous asseyons pas. Nous nous levons quand le professeur entre dans la salle de classe.

(*c*) PIERRE : (*à la classe*) Est-ce que je m'appelle Jean ?

LA CLASSE : Non, tu ne t'appelles pas Jean. Tu t'appelles Pierre.

MARIE : Est-ce que je m'appelle Jeanne ?

LA CLASSE : Non, tu ne t'appelles pas Jeanne. Tu t'appelles Marie.

(*d*) LE PROFESSEUR : (*à la classe*) Mon **anniversaire** est le . . . (*à Pierre*) Quelle est la date de ton anniversaire ?

PIERRE : Mon anniversaire est le . . . , monsieur. (*à Marie*) Quelle est la date de ton anniversaire ?

MARIE : Mon anniversaire est le . . . (*à Jean*) Quelle est la date de ton anniversaire ?

(et ainsi de suite)

(*e*) LE PROFESSEUR : (*à Pierre*) Quelle est la date de l'anniversaire de ton frère ?

PIERRE : Son anniversaire est le . . . , monsieur.

LE PROFESSEUR : (*à Marie*) Quelle est la date de l'anniversaire de ta sœur ?

MARIE : Son anniversaire est le . . . , monsieur.

(et ainsi de suite)

Encore des nombres

51 = **cinquante et un**	56 = cinquante-six
52 = cinquante-deux	57 = cinquante-sept
53 = cinquante-trois	58 = cinquante-huit
54 = cinquante-quatre	59 = cinquante-neuf
55 = cinquante-cinq	60 = **soixante**

Calculez en français

(*a*) 36 − 5 =	(*h*) 39 − 16 =	(*o*) 2 × 28 =
(*b*) 53 − 13 =	(*i*) 44 − 11 =	(*p*) 19 + 36 =
(*c*) 48 − 14 =	(*j*) 59 − 28 =	(*q*) 7 × 8 =
(*d*) 52 − 26 =	(*k*) 2 × 30 =	(*r*) 15 × 3 =
(*e*) 32 − 12 =	(*l*) 28 + 24 =	(*s*) 5 × 12 =
(*f*) 60 − 42 =	(*m*) 3 × 15 =	(*t*) 22 + 38 =
(*g*) 51 − 34 =	(*n*) 25 + 31 =	

Ecrivez en français!

(*a*) 5 × 1 = 5	(*b*) 6 × 1 = 6
5 × 2 = 10	6 × 2 = 12
5 × 3 = 15	6 × 3 = 18
5 × 4 = 20	6 × 4 = 24
5 × 5 = 25	6 × 5 = 30
5 × 6 = 30	6 × 6 = 36
5 × 7 = 35	6 × 7 = 42
5 × 8 = 40	6 × 8 = 48
5 × 9 = 45	6 × 9 = 54
5 × 10 = 50	6 × 10 = 60
5 × 11 = 55	
5 × 12 = 60	

1
CINÉMA
GARAGE LEBLANC

2
CINÉMA
POSTES

LEÇON 33

Fleurville

A.

1. Voici une petite ville de **campagne**. Cette ville s'appelle Fleurville. Les Garnier et les Leblanc habitent Fleurville. A droite vous voyez le garage de Monsieur Leblanc. A gauche vous voyez la maison de la famille Garnier.

   Au milieu de la ville il y a une grande rue. Cette rue s'appelle la rue de la République. C'est la rue **principale** de la ville. Les Leblanc habitent rue de la République, au numéro un. Les Garnier habitent rue des Peupliers, au numéro vingt.

   Au bout de la rue de la République **se trouve** la **place du marché**, où il y a un cinéma, un bureau de poste et la **mairie**. Voyez-vous le drapeau sur le toit de la mairie ? C'est le drapeau **national** de la France— le drapeau **tricolore**.

   Regardez la rivière ! Voyez-vous le **pont** ? Le pont **traverse** la rivière. Les gens travers**ent** la rivière sur le pont. Sur le pont il y a deux pêcheurs (un **pêcheur**) et deux enfants. Le pont de Fleurville s'appelle le Pont des Eaux.

2. Voici la place du marché. Au milieu de la place se trouve un arbre et sous l'arbre il y a un **banc**. A gauche vous voyez deux autobus (un **autobus**) et un **kiosque**. A droite il y a des **boutiques en plein air** où des marchands (un **marchand**, une marchand**e**) **vendent** leurs **marchandises**. Des dames et des messieurs regardent et achètent des **provisions**.

BOULANGERIE
CRÉMERIE
ÉPICERIE
LAIT
GATEAUX au CHOCOLAT
BEURRE OEUFS
FROMAGES
VINS
STELLA ARTOIS

café
BOUCHERIE
CHARCUTERIE

3. Nous sommes maintenant dans la rue de la République. Voici le **côté** gauche de la rue. Vous voyez trois petits magasins. En France les petits magasins s'appellent des boutiques (une **boutique**).

Vous voyez une **boulangerie**, une **crémerie** et une **épicerie**. La boulangerie est en face du garage de Monsieur Leblanc. L'épicerie est **au coin de** la rue de la République et de la place du marché.

Dans la **vitrine** de la boulangerie vous voyez du pain, mais cette boulangerie est aussi une **pâtisserie** et vous voyez aussi des gâteaux. Dans la vitrine de la crémerie vous voyez des œufs, des fromages et du beurre. Dans la vitrine de l'épicerie vous voyez des pots de confiture, des bouteilles de vin et des boîtes de **toutes sortes.**

4. Voici le côté droit de la rue. Au coin de la rue, en face de l'épicerie, il y a un café. A côté du café se trouve une **boucherie-charcuterie.** A la terrasse du café il y a des chaises et des tables. Dans la vitrine de la boucherie-charcuterie il y a de la viande et des saucisses (une **saucisse**).

B. Répondez:

I. 1. (*a*) Comment s'appelle cette ville ? (*b*) Est-ce que c'est une grande ville ? (*c*) Qui habite cette ville ? (*d*) Où se trouve le garage de Monsieur Leblanc ? (*e*) Où se trouve la maison de la famille Garnier ? (*f*) Où se trouve la rue principale ? (*g*) Qu'est-ce qu'il y a sur le toit de la mairie ? (*h*) Où se trouve l'église de la ville ? (*i*) Comment est-ce que les gens traversent la rivière ? (*j*) Qui est sur le pont ?

2. (*a*) Qu'est-ce qu'il y a au milieu de la place du marché ? (*b*) Qu'est-ce qu'il y a à gauche ? (*c*) Qu'est-ce qu'il y a à droite ? (*d*) Combien de personnes voyez-vous sur la place ? (*e*) Où est le cinéma ? (*f*) Est-ce que le bureau de poste est en face de la mairie ? (*g*) Qu'est-ce que les marchands font ?

3. (*a*) Est-ce que c'est le côté droit de la rue ? (*b*) Où est la boulangerie ? (*c*) Qu'est-ce qu'il y a à côté de la boulangerie ? (*e*) Qu'est-ce qu'il y a devant les boutiques ? (*f*) Est-ce que l'épicerie est en face du garage de Monsieur Leblanc ?

4. (*a*) Qu'est-ce qu'il y a en face de l'épicerie ? (*b*) Où sont les tables et les chaises ? (*c*) Combien de chaises est-ce qu'il y a à la terrasse du café ? (*d*) Est-ce qu'il y a une crémerie à côté du café ?

II. 1. (*a*) Comment est Fleurville ? (*b*) Qui habite au numéro vingt, rue des Peupliers ? (*c*) Comment s'appelle la rue principale ? (*d*) Où se trouve la place du marché ? (*e*) Combien de maisons voyez-vous dans la ville ? (*f*) Qu'est-ce qu'il y a sur la rivière ? (*g*) Comment s'appelle le pont ?

2. (*a*) Sommes-nous dans la rue de la République ? (*b*) Qu'est-ce qu'il y a sous l'arbre ? (*c*) Combien de personnes est-ce qu'il y a sur le banc ? (*d*) Où se trouve le kiosque ? (*e*) Est-ce qu'il y a des voyageurs dans les autobus ? (*f*) Qu'est-ce qu'il y a à côté de la mairie ? (*g*) Qui achète des provisions ?

3. (*a*) Comment s'appellent les petits magasins ? (*b*) Où est l'épicerie ? (*c*) Qu'est-ce qu'il y a dans la vitrine de la crémerie ? (*d*) Est-ce qu'il y a des œufs dans la vitrine de l'épicerie ? (*e*) Où sont les gâteaux au chocolat ?

4. (*a*) Est-ce que c'est le côté gauche de la rue ? (*b*) Où se trouve le café ? (*c*) Est-ce qu'il y a une boulangerie à côté du café ? (*d*) Qu'est-ce qu'il y a dans la vitrine de la boucherie ? (*e*) Est-ce qu'il y a des gens à la terrasse du café ?

C. Répondez:

(*a*) Est-ce que vous habitez une ville ? (*b*) Comment s'appelle votre ville ? (*c*) Est-ce que c'est une grande ville ? (*d*) Comment s'appelle la rue principale de votre ville ? (*e*) Est-ce qu'il y a une rivière ? (*f*) Est-ce qu'il y a un pont ? (*g*) Est-ce qu'il y a des cafés ? (*h*) Combien de cinémas est-ce qu'il y a dans votre ville ? (*i*) Où se trouve la gare dans votre ville ? (*j*) Est-ce qu'il y a un bureau de poste dans votre ville ? (*k*) Où se trouve la mairie ? (*l*) Est-ce qu'il y a un poste de police et des agents dans votre ville ?

Faites une description de votre ville.

D. Dialogues

(*a*) LE PROFESSEUR: (*à la classe*) Dans une boulangerie, **j'achète** du pain. Dans une crémerie, j'achète du lait. Dans une boucherie, j'achète de la viande.
Pierre, où est-ce que **tu achètes** des œufs?

PIERRE: J'achète des œufs dans une crémerie, monsieur.

LE PROFESSEUR: Marie, où est-ce que tu achètes du café?

MARIE: J'achète du café dans une épicerie, monsieur.

(et ainsi de suite)

(*b*) LE PROFESSEUR: (*à la classe*) **Nous achetons** des gâteaux dans une pâtisserie. Nous achetons des fruits et des légumes dans une **fruiterie**. Est-ce que nous achetons de la viande dans une fruiterie ?

LA CLASSE: Non monsieur, nous achetons de la viande dans une boucherie.

LE PROFESSEUR: Est-ce que nous achetons des gâteaux dans une crémerie ?

LA CLASSE: Non monsieur, nous achetons des gâteaux dans une pâtisserie.

(et ainsi de suite)

Encore des questions

Où est-ce que vous achetez ?

(*a*) des fleurs ? (*b*) des pommes ? (*c*) du thé ? (*d*) du vin ? (*e*) du cidre ? (*f*) un verre de limonade ? (*g*) des glaces ? (*h*) du fromage ? (*i*) de la confiture ? (*j*) du beurre ? (*k*) des saucisses ? (*l*) des billets de chemin de fer ?

VÉLO - MOTO
F
1

L'HUMANITE
2

3
VÉ
MOTO

LEÇON 34

Le quatorze juillet

A.

1. C'est le matin du quatorze juillet, **fête** national**e** de la France. Les Français ne travaillent pas le quatorze juillet. Les magasins sont fermés. Les écoles aussi sont fermées. C'est un jour **de congé** pour **tout le monde**.
   Il fait beau ce matin. Le soleil brille et il fait chaud. Nos amis, les Garnier et les Leblanc, vont **passer** la **journée** au bord de la mer. **Déjà** l'auto de Monsieur Garnier traverse le Pont des Eaux. Monsieur Leblanc, **assis** déjà dans sa **voiture** appelle ses enfants. Françoise dit au revoir à ses cousins et Pierre, son bateau sous le bras, court **vers** son père. Une dame regarde les Garnier. Un homme et une fillette, assis sur une **motocyclette**, **suivent** la voiture de Monsieur Garnier.

2. C'est maintenant l'**après-midi**. Les Garnier et les Leblanc sont au bord de la mer. Paul et les grandes personnes sont sur la plage. Les mères sont assis**es** sur le **sable**; elles font du **tricot**. Monsieur Leblanc aussi est assis sur le sable; il **lit** un **journal**. Monsieur Garnier est **couché** sur le sable; il **fume** sa **pipe**. Paul joue avec le sable; il fait un **château** de sable. Les autres enfants se baignent dans la mer.

3. C'est maintenant le soir à Fleurville. Il fait **nuit**. Tout le monde est dans la rue. Tout le monde est très **gai**. Les garçons et les filles **dansent** sur le pont et dans la rue. Les autres regardent le joli **feu d'artifice** de l'autre côté de la rivière.

B. Répondez:

I. 1. (*a*) Quelle est la date ? (*b*) Est-ce que les écoles sont ouvertes ? (*c*) Est-ce que les Français travaillent le 14 juillet? (*d*) Est-ce qu'il fait mauvais? (*e*) Où est-ce que nos amis vont? (*f*) Où est la voiture de Monsieur Garnier? (*g*) Qu'est-ce que Monsieur Leblanc fait? (*h*) Est-ce que Françoise court vers son père? (*i*) Qui a un bateau sous le bras? (*j*) Est-ce que la dame regarde la voiture de Monsieur Leblanc? (*k*) Qui est assis sur la motocyclette? (*l*) Qui est assis au bord de la rivière?

2. (*a*) Est-ce que c'est le soir ? (*b*) Où est la famille ? (*c*) Qui est assis sur le sable ? (*d*) Est-ce que Paul se baigne ? (*e*) Qui lit un journal ? (*f*) Est-ce que Monsieur Garnier fume une cigarette ? (*g*) Est-ce que les mamans fument ? (*h*) Qu'est-ce qu'elles portent ? (*i*) Est-ce que Monsieur Garnier est assis sur le sable ? (*j*) Où sont les autres enfants ?

3. (*a*) Est-ce que c'est le matin ? (*b*) Est-ce qu'il fait jour ? (*c*) Qui danse sur le pont ? (*d*) Est-ce que tout le monde est triste ? (*e*) Qu'est-ce qu'il y a de l'autre côté de la rivière ? (*f*) Est-ce que les Leblanc dansent dans la rue ?

II. 1. (*a*) Pourquoi est-ce que les enfants ne vont pas à l'école ? (*b*) Est-ce que les magasins sont ouverts ? (*c*) Est-ce qu'il fait froid ? (*d*) Où est la voiture de Monsieur Leblanc ? (*e*) Qui **suit** la voiture de Monsieur Garnier ? (*f*) Qui est dans sa voiture ? (*g*) Qui dit au revoir à Françoise ? (*h*) Qu'est-ce que Pierre a sous le bras ? (*i*) Qu'est-ce que la dame porte ? (*j*) Où est-ce que nos amis vont ?

2. (*a*) Est-ce que c'est le matin ? (*b*) Qui est sur la plage ? (*c*) Est-ce que les parents se baignent ? (*d*) Est-ce que les mamans **lisent** ? (*e*) Qui fume la pipe ? (*f*) Est-ce que Monsieur Leblanc fait du tricot ? (*g*) Est-ce que Monsieur Leblanc porte un caleçon ? (*h*) Qui fait un château de sable ? (*i*) Qui se baigne dans la mer ? (*j*) Qu'est-ce qu'il y a sur le château de sable ?

3. (*a*) Est-ce que c'est l'après-midi ? (*b*) Où sont les filles et les garçons ? (*c*) Qu'est-ce qu'ils font ? (*d*) Comment sont les gens de Fleurville ? (*e*) Où est le feu d'artifice ?

C. Répondez:

(*a*) Est-ce que vous avez un jour de congé le quatorze juillet ? (*b*) Est-ce que le quatorze juillet est une fête nationale en **Angleterre** ? (*c*) Est-ce que vous allez au bord de la mer en hiver ? (*d*) Est-ce que votre père a une pipe ? (*e*) Est-ce que votre mère fume des cigarettes ? (*f*) Est-ce que **vous fumez** ? (*g*) Est-ce que vous aimez **danser** ? (*h*) Est-ce que vous faites du tricot ? (*i*) Est-ce que **vous lisez** un journal en classe ? (*j*) Quand est-ce que nous avons des feux d'artifice en Angleterre ?

D. Dialogues

(*a*) LE PROFESSEUR: (*à la classe; il ne fait rien*) Est-ce que je **lis** ?

LA CLASSE: Non monsieur, vous ne lisez pas.

LE PROFESSEUR: Est-ce que **je danse** ?

LA CLASSE: Non monsieur, vous ne dansez pas.

LE PROFESSEUR: Est-ce que **je fume** ?

LA CLASSE: Non monsieur, vous ne fumez pas.

(et ainsi de suite)

(*b*) LE PROFESSEUR: (*à la classe; il(elle) s'assied*) Je m'assieds. Maintenant, je suis assis(**e**). (*Il(elle) se lève*) Maintenant, je suis **debout.** Pierre, es-tu debout?

PIERRE: Non monsieur, je suis assis.

LE PROFESSEUR: Marie, es-tu debout?

MARIE: Non monsieur, je suis assis**e.**

LE PROFESSEUR: Pierre et Jean, êtes-vous debout ?

PIERRE, JEAN: Non monsieur, nous sommes assis.

LE PROFESSEUR: Marie et Jeanne, êtes-vous debout ?

MARIE, JEANNE: Non monsieur, nous sommes assis**es.**

(*c*) LE PROFESSEUR: (*à la classe*) En classe, nous travaillons; nous écrivons sur nos cahiers et **nous lisons** des livres. **Nous** ne **dansons** pas en classe! **Nous** ne **fumons** pas, non plus! Est-ce que nous lisons des journa**ux** en classe ?

LA CLASSE: Non monsieur, nous lisons des livres en classe.

LE PROFESSEUR: Est-ce que nous lisons au cinéma ?

LA CLASSE: Non monsieur, nous ne lisons pas au cinéma .

LE PROFESSEUR: Est-ce que nous dansons dans la rue ?

LA CLASSE: Non monsieur, nous ne dansons pas dans la rue.

(et ainsi de suite)

Les cloches

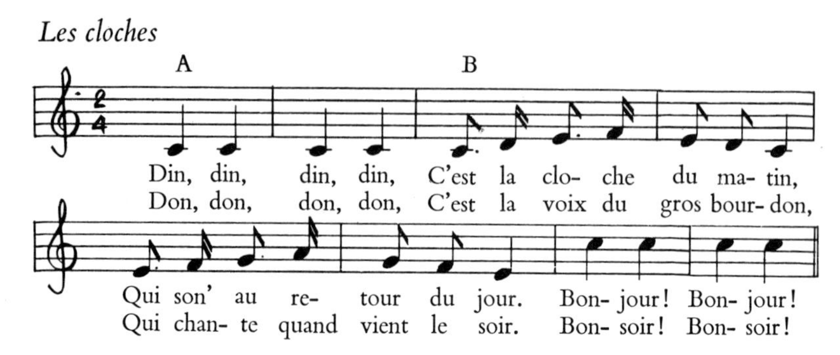

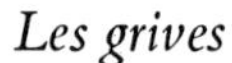

Les grives

Les rameurs

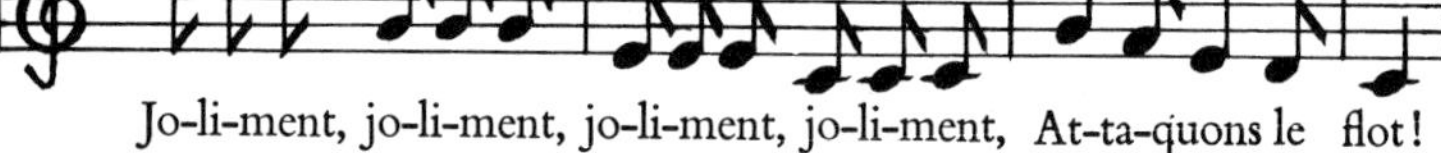

Dans la forêt

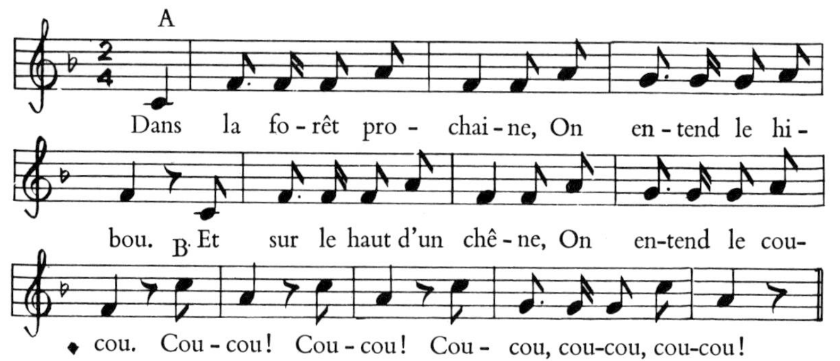

QUELQUES CHANSONS

Ah! vous dirais-je, maman?

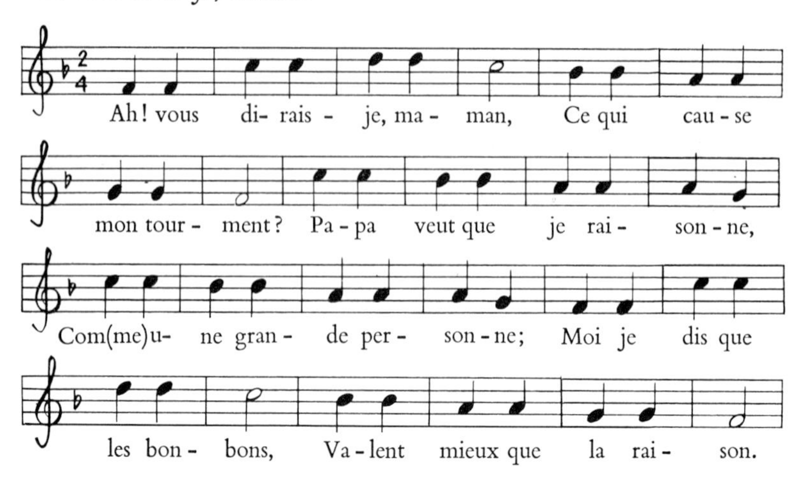

Donner le bonjour

Mots brouillés

The teacher selects a word known to the players and writes it up on the blackboard with the letters in the wrong order. The first player (or team) to discover the word by rearranging the letters in the correct order wins the game.

Phrases brouillées

A game similar to the above, using the words of familiar sentences instead of letters.

Le cache-cache

One player is blindfolded. The teacher says to another player: 'Pierre, va quelque part!' When Pierre is ready, he says to the blindfold player: 'Où suis-je?' The blindfold player is allowed two minutes in which to discover Pierre's whereabouts by asking: 'Es tu ...?' The only reply he may receive from Pierre is: 'Non, je ne suis pas ...' If the blindfold player guesses the hiding-place within the two minutes, he scores a point. If not, the point is awarded to Pierre.

Lettres barrées

Each player writes six French words on a piece of paper, taking care not to let anyone else see what he has written.

Then, in turn, each player chooses a letter from the alphabet which does not appear in the words on his list, saying, for example: 'Je n'aime pas les A.' The other players must strike out the letter mentioned, wherever it appears in the words on their papers.

The last player(s) to be left with any letter(s) not crossed-out win(s) the game. Forfeits may be required from those who fail to cross out letters that have been called.

Jeux de nombres

(*a*) The players divide into two or more equal teams. The teacher writes known numbers at random all over the blackboard, taking care to write up at least as many numbers as there are players. One by one, and from each team in turn, the players come up to the board. Every player who points to a number and names it correctly in French may rub that number from the board and retire in triumph from the contest. If, however, the number is incorrectly named, he may not remove it from the board, but must return to his place in the team and have another turn. The first team to retire all its members wins the game.

(*b*) Each player writes, in French words, twenty consecutive numbers on a piece of paper. These numbers are not written in any order, but are mixed up all over the page and a circle is carefully drawn round each one. The players exchange papers. Each competitor then connects the numbers on the paper handed to him; he does this by drawing a ruled line from the smallest one to the next, and so on. The first player to connect his numbers correctly wins the game.

Au voleur

The players each have an agreed number (*e.g.* ten) of objects for which the French names are known. These are placed on the players' desks and hidden from others by a handkerchief.

The teacher appoints the first thief, saying: 'Pierre, tu es le voleur.' The thief then selects his victim, saying: 'Jean, je vais à ta maison.' Jean must then close his eyes while the thief removes two objects from his collection. When the thief has removed from sight the objects that he has taken, the spectators shout: 'Au voleur!' Jean then inspects his possessions to see which are missing. If he says correctly to Pierre, 'Tu as le (la) . . . et le (la) . . .', Pierre may not keep the stolen property but must return it to Jean. Whether he regains his property or not, Jean becomes the next thief. His victim may be anyone but Pierre.

The game continues, players being eliminated when they are left with no more than four objects. The player finishing with the greatest number of objects wins the game.

Manners and Customs

'The English are busy people; they haven't time to be polite.'[1] About three hundred years ago a Frenchman wrote those rather harsh words about us. Our manners have surely improved since then, but it is nevertheless important to realise that politeness in France is not shown in exactly the same ways as it is in England. There are a few differences which we should know about before visiting the country.

In France it is not polite to say just 'oui', 'non', 'merci' etc. and leave it at that. You will notice that French people always say 'oui, madame', 'non, monsieur', 'merci, mademoiselle' etc., especially to their elders and to those whom they do not know very well. Even in family circles you will not hear these words used alone; they sound very blunt to the French ear unless they are followed by a name. Within the family, a child will say to a parent, 'Oui, maman (papa)'; parents say to their children 'Oui, ma petite (mon petit)'. And French people use a great variety of special words when speaking to children.[2] We cannot translate them because we have nothing like them in English. When translated they therefore sound rather silly.

If you are used to being treated in a somewhat off-hand way when you go shopping at home, you will be surprised when you go into a French shop for the first time. The assistant, bowing very slightly, greets you with a friendly smile and says: 'Bonjour, monsieur. Qu'est-ce que vous désirez?' You feel that there must be some mistake and that he must think that he knows you. But there is no mistake. In France every customer is a very important person and shopkeepers do their best to please you so that you will go back to the shop again. French salesmen understand that good manners are good business.

English people visiting France are often surprised when they see so many people shaking hands with one another. Handshaking is an important part of greeting people or saying goodbye to them. French people shake hands whenever they meet each other and they never forget to say 'Bonjour' when they meet and 'Au revoir' when

[1] 'Les Anglais sont occupés; ils n'ont pas le temps d'être polis.' (Montesquieu.)
[2] E.g. 'mon petit chou', 'mon petit coco', 'ma petite cocotte'.

they take their leave. Quite young children are taught to do the same. It looks rather quaint to us, but it is perfectly natural to the French. When you are in France you get quite used to it and you soon find yourself doing the same. In fact, when you return to England you may even find that it has become so much a habit that at first you hold out your hand to astonished English friends!

Schoolboys on holiday have met for a chat. The boy who is standing is about to leave the group. Notice the handshake.
[*Photograph by P.M.S.*]

French table manners are rather different from ours. The main rule seems to be that you should enjoy your meal and that everyone else at the table should do so too. Grown-ups, as well as children, tuck their napkins into their chins to save clothing from getting spotted with food. It is quite usual, and perfectly polite, to clean up your plate with your bread so that no drop of gravy is wasted. French people change plates between courses, but often they do not change knives and forks. They use knives rather like the Americans do; that is, they cut up their food, then put the knife on one side and eat with the fork in the right hand and a piece of bread in the left. The piece of bread comes in handy as a 'pusher' when food refuses to go on to the fork!

Politeness is really a way of showing people that you are interested in them and that you are thoughtful for them. The French show this in public places. Invalids and women carrying small children are always given priority in bus queues. There are special seats in most buses and in the Paris métro for war-wounded and crippled passengers ('mutilés de guerre'). Smoking is forbidden in buses, cinemas and tube trains because it could cause discomfort to non-smokers and delicate people. Nobody grumbles, for the French readily accept rules that have been made for the good of a great many people.

Food

In restaurants and cookery books all over the world there are French names for food. This is not just an accident. French people think that food is very important and they devote much time and trouble to the preparation of it. In France, dozens of different ways of cooking and serving quite ordinary foodstuffs have been invented and the recipes for these dishes have been introduced into other countries. Many dishes that have spread from France have kept their original French names; they may be called after the French cook who invented them (Béchamel sauce), after the town of their origin (potage Saint-Germain), or by the French word for the manner in which they are cooked (sauté potatoes). In the back of a famous English cookery book by Mrs. Beeton, you will find a dictionary of cooking terms. Most of them are in French.

English restaurants sometimes print their menu cards in French. It is usual to see the heading 'A la carte' above the list of dishes that you can choose from and pay for separately. 'Table d'hôte' is the heading given to a set meal. Both headings come from France, though today French restaurants usually use the words 'prix fixe' to describe a set meal at an all-in price.

Perhaps because French names for food are found in smart English restaurants, English people have the idea that French food is rich and extravagant and that the French must be a greedy nation. It is not so. The French like their food to be tasty and beautifully cooked, but most Frenchmen probably eat less than the average Englishman. The French housewife is most economical and takes a pride in being able to produce delicious meals of great variety from ordinary, inexpensive ingredients.

Shopping is a serious matter. Women choosing melons at a market stall in Honfleur, Normandy.
[*Photograph by P.M.S.*]

A French mother takes endless trouble in the planning and preparation of

A housewife choosing grapes. The greengrocer patiently awaits her decision.
[*Photograph by B. Mulot, Honfleur.*]

meals for her family. Shopping is a serious matter and you will see women, like expert dealers in an art gallery, examining the produce on sale in shops most critically before making their choice. If there is anything wrong either with the quality or the price of the goods, the housewife refuses, to buy them and moves on to the next shop.

Back in the kitchen at home, every ingredient is carefully calculated and added to the pot, every stage of the cooking is watched so that the finished product shall be just right. Nothing is wasted. Seasoning is an important part of the cooking process; it is not left until the food has reached the table. French cooks use a surprising number of herbs for flavouring, herbs that are seldom used and often unknown to all but professional chefs in England.[1] Olive oil will be found in use in all French kitchens, for olives grow in southern France and the oil does not have to be imported from abroad. Food is sometimes cooked with butter, and vegetables are often served with melted butter poured over them. A great variety of different vegetables grow in France and vegetables appear on the table—not just as an accompaniment to the meat—but as a separate course in themselves.

Here is a story which shows the differences between what people eat in England and in France, and the differences in the cooking in the two countries. A Frenchman who was on a visit to England, was dining with an English friend in a restaurant. In order to give his French friend a typically English meal, the Englishman ordered roast beef, potatoes and brussels sprouts. When the food came, the Englishman looked proudly towards his friend and said: 'There, you don't see meat like this in France, do you?' Looking rather unhappily at his helping of watery brussels sprouts, the Frenchman replied: 'Perhaps not, my friend. But in France you wouldn't

[1] Garlic (ail), thyme (thym), sorel (oseille), bay-leaves (laurier), chervil (cerfeuil) etc.

find vegetables like these, either.' The Englishman was flattered, but the Frenchman did not intend his remark as a compliment.

French food is different from ours and, if you go to France prepared for the difference, you will probably enjoy your meals and look forward to each one as a new adventure. However, even if you do come home still convinced that sausages and baked beans are better than any of the new dishes you have tasted, you will certainly have a high opinion of French bread. The long, crisp, golden-crusted loaves could not fail to tempt even the most English of Englishmen.

This boy on the left has been sent to the baker's to fetch the family's bread supply for the day. Notice the shape of the loaves; also the 'croissant' which he is going to eat on the way home.

[*Photograph by P.M.S.*]

Meals

French people have three meals a day, breakfast (petit déjeuner) at about half past seven, dinner (déjeuner) at mid-day and supper (dîner) at about half past seven in the evening. French families do not have either afternoon or six o'clock tea. If children come home hungry from school they may eat some bread and butter, perhaps with jam or a piece of chocolate, and drink either fruit juice or milk. This snack is called 'le goûter', but it is not a proper meal. The French do not drink much tea. It is expensive to buy and few people make it well. If they drink it at all, they usually take it without milk and with a slice of lemon floating in the cup.

Breakfast in France is a light meal. It consists of bread and butter—sometimes with jam, but not marmalade—and a large cup of white coffee (café au lait). Instead of bread, some families eat 'croissants', which are semi-sweet flaky rolls baked in the shape of a half moon.

Mid-day dinner is the most important meal of the day.

Everyone who is able to do so, goes home at twelve o'clock. Most shops and offices close at noon and do not reopen until two o'clock.

Imagine that you have been invited to dinner with the Leblanc family. It is about ten minutes to twelve. Everything is ready and Pierre and Françoise are home from morning school. They are hungry, but Madame Leblanc will not let them begin dinner until their father comes in; there is plenty of time for they do not have to be back in school until two o'clock. Punctually at twelve o'clock, Monsieur Leblanc arrives. He greets you and his family and then you all go into the kitchen to eat.

The table is simple. It is covered with a brightly-coloured check cloth. Five places are laid, each with a fork, two knives, a napkin and a wineglass. There is a tiny, individual pot of butter in front of each place. In the centre of the table there is a basket full of crisp, crusty chunks of bread, a bottle of red wine and a carafe of water.

When all are seated, Monsieur Leblanc serves the wine. He fills two glasses to the brim, one for his wife and one for himself. He only half fills the other three, which are for you and Pierre and Françoise. Pierre then passes you the carafe of water so that you may fill up your glass. Children drink their wine diluted. Meantime, Madame, who does all the cooking and the serving in this family, is serving out the first course. She serves you first because you are the guest. Today the first course is a cold hors d'œuvres . Madame tells you that it is 'œufs durs garnis de macédoine', so you gather that it is an egg dish. It is in fact a hard-boiled egg, cut in half lengthwise and covered with many kinds of chopped vegetable and a creamy-looking sauce. You eat bread with it—and butter if you like—and, of course, you eat it with a fork.

Next comes the meat course. Madame serves each person on a clean, hot plate from a dish containing five pieces of grilled beef which are cut rather thick, are slightly under-done and are decorated with sprigs of watercress. When everyone is served, you cut up your meat and eat it with a fork. You do not wait for vegetables; they come later.

When everyone has finished the meat course, Madame removes the empty dish from the table and puts another one in its place. There are hot, stuffed tomatoes on it this time—great, giant tomatoes covered with a layer of grilled cheese. When you taste yours you understand why this was not eaten with the beef. It is so tasty that it would have ruined the flavour of the meat.

Cheese follows the vegetables and there is a choice of two different kinds. After the cheese there is fruit—fresh fruit from a basket in the centre of the table containing grapes, peaches and pears. For puddings are an English custom. French people prefer fresh fruit. Milk puddings are usually only given to babies and tiny children.

After dinner Madame grinds some coffee beans in a little machine, then puts the ground coffee into two little containers made of metal. These she places on the tops of two cups, then pours boiling water through them into the cups. She explains to you that she is making coffee for herself and her husband only because strong, black coffee (café noir) is bad for young people. Françoise immediately asks for a 'canard', whereupon her mother dips a lump of sugar into her coffee-cup and hands the soaked sugar-lump to her daughter. This is the only taste of black coffee that Françoise will get for many years.

If you were to stay with the Leblancs, you would find that supper was not very different from dinner. You would probably start the meal with soup instead of hors d'œuvres, either a thinnish soup which they call 'potage', or a much more substantial one which they call 'soupe'. You would probably have an egg dish instead of meat. But the wine, the bread and the 'dessert' (cheeses and fruit) would appear just as they had done at dinner-time.

TABLEAUX DE GRAMMAIRE

THE INDEFINITE ARTICLE (A, AN)

	Masculine	*Feminine*
Singular	**un** garçon	**une** fillette
Plural	**des** garçons	**des** fillettes

N.B. J'ai un oncle, mais je n'ai pas **de** tante.
Elle a des frères, mais elle n'a pas **de** sœurs.

THE DEFINITE ARTICLE (THE)

	Masculine	*Feminine*
Singular	**le** garçon	**la** fillette
Plural	**les** garçons	**les** fillettes

Masculine and Feminine
(before vowel and silent h)

Singular	**l'**oiseau	**l'**auto
	l'homme	**l'**horloge
Plural	**les** oiseaux	**les** autos
	les hommes	**les** horloges

With à

Singular	**au** garçon	**à la** fillette
	à l'homme	**à l'**horloge

With de

Singular	**du** garçon	**de la** fillette
	de l'homme	**de l'**horloge

THE PARTITIVE ARTICLE (SOME, ANY)

	Masculine	*Feminine*
Singular	**du** pain	**de la** viande
Plural	**des** fruits	**des** glaces

N.B. Il y a du café dans la cafetière.
Il n'y a pas **de** café dans la cafetière.
Il y a des fruits dans la corbeille.
Il n'y a pas **de** fruits dans la corbeille.

PLURAL OF NOUNS

Singular	*Plural*
un chat	deux chat**s**
une tasse	deux tasse**s**

Rule: Most nouns add **-s** to the singular.

un oiseau	deux oiseau**x**
un chapeau	deux chapeau**x**
un neveu	deux neveu**x**

Rule: Nouns ending in -eau and -eu add **-x** instead of -s.

N.B. un œil — deux **yeux**

ADJECTIVES

Rule: ALL adjectives (describing words) *agree* with the noun or pronoun they describe, both in gender (masculine or feminine) and in number (singular or plural).

	Masculine	*Feminine*
Singular	un livre ouvert	une porte ouvert**e**
Plural	des livres ouvert**s**	des portes ouvert**es**
Singular	il est ouvert	elle est ouvert**e**
Plural	ils sont ouvert**s**	elles sont ouvert**es**

To make most adjectives feminine, add **-e** to the masculine.
To make most adjectives plural, add **-s** to the singular.

N.B.

(1) un pullover rouge — une robe rouge
un pullover jaune — une robe jaune

If an adjective ends in -e (not -é) in the masculine, nothing is added in the feminine.

(2) un garçon sportif — une fillette sporti**ve**
le premier plat — la premi**ère** assiette
un mouchoir blanc — une nappe blanc**he**

Some adjectives have special feminine forms.

(3) un chat gris (singular) — des chats gris (plural)
If an adjective ends in -s in the masculine singular, nothing is added in the masculine plural.

POSITION OF ADJECTIVES

Rule: Most adjectives are placed *after* the noun.
e.g. un livre vert, un cahier fermé, un professeur fâché.
A few common adjectives are placed before the noun.
e.g. un grand garçon, une petite fourchette, un joli mur, le premier étage.

POSSESSIVE ADJECTIVES (MY, HIS, HER, ETC.)

	Masculine singular	*Feminine singular*	*Masculine and Feminine plural*
(je)	**mon**	**ma**	**mes**
(il, elle)	**son**	**sa**	**ses**
(nous)	**notre**	**notre**	**nos**
(vous)	**votre**	**votre**	**vos**
(ils, elles)	**leur**	**leur**	**leurs**

DEMONSTRATIVE ADJECTIVES (THIS, THAT, ETC.)

	Masculine	*Feminine*
Singular	**ce** crayon	**cette** fleur
Plural	**ces** crayons	**ces** fleurs

VERBS

REGULAR TYPES

Regard**er**	Attend**re**
Je regard**e**	J'attend**s**
Il regard**e**	Il attend
Nous regard**ons**	Nous attend**ons**
Vous regard**ez**	Vous attend**ez**
Ils regard**ent**	Ils attend**ent**

IRREGULAR VERBS

Acheter	Aller	Avoir	Boire
J'ach**è**te	Je **vais**	J'**ai**	Je bois
Il ach**è**te	Il **va**	Il **a**	Il boi**t**
Nous achetons	Nous **allons**	Nous **avons**	Nous **buv**ons
Vous achetez	Vous **allez**	Vous **avez**	Vous **buv**ez
Ils ach**è**tent	Ils **vont**	Ils **ont**	Ils boivent

Courir	Dire	Ecrire	Etre
Je cour**s**	Je di**s**	J'écri**s**	Je **suis**
Il cour**t**	Il di**t**	Il écri**t**	Il **est**
Nous courons	Nous disons	Nous écri**v**ons	Nous **sommes**
Vous courez	Vous **dites**	Vous écri**v**ez	Vous **êtes**
Ils courent	Ils disent	Ils écri**v**ent	Ils **sont**

IRREGULAR VERBS (*continued*)

Faire	Lire	Manger	Mettre
Je fai**s**	Je li**s**	Je mange	Je me**ts**
Il fai**t**	Il li**t**	Il mange	Il me**t**
Nous faisons	Nous lisons	Nous mang**e**ons	Nous me**tt**ons
Vous **faites**	Vous lisez	Vous mangez	Vous me**tt**ez
Ils **font**	Ils lisent	Ils mangent	Ils me**tt**ent

Prendre	Suivre	Voir	Vouloir
Je prend**s**	Je sui**s**	Je voi**s**	Je v**eux**
Il prend	Il sui**t**	Il voi**t**	Il v**eut**
Nous pre**n**ons	Nous sui**v**ons	Nous vo**y**ons	Nous v**ou**lons
Vous pre**n**ez	Vous sui**v**ez	Vous vo**y**ez	Vous v**ou**lez
Ils pre**nn**ent	Ils sui**v**ent	Ils vo**i**ent	Ils v**eu**lent

NEGATIVES

Rule: To make a verb negative **ne** or **n'** is placed before it and **pas, plus, rien** after it.

e.g.

Je ne regarde pas   Je ne regarde plus
Il ne mange rien   Nous n'avons pas

COMMANDS

Rule: Use the part of the verb that goes with 'vous'.

e.g.

Parlez! Mangez! Prenez! Ecrivez!
Ne parlez pas! Ne mangez pas! Ne prenez pas! N'écrivez pas!

QUESTIONS

(1) In speech, questions may be asked by raising the tone of the voice at the end of the question.
e.g. Vous allez au cinéma?

(2) Est-ce que . . . ? may be placed at the beginning of the question.
e.g. Est-ce que vous allez au cinéma?

(3) The verb and pronoun may be inverted.
e.g. Allez-vous au cinéma?

THE REFLEXIVE VERB

Se baigner

Statement	*Negative*
Je me baigne	Je ne me baigne pas
Il se baigne	Il ne se baigne pas
Nous nous baignons	Nous ne nous baignons pas
Vous vous baignez	Vous ne vous baignez pas
Ils se baignent	Ils ne se baignent pas

Command	*Question*
Baignez-vous!	(1) Vous vous baignez?
Ne vous baignez pas!	(2) Est-ce que vous vous baignez?
	(3) Vous baignez-vous?

OTHER REFLEXIVE VERBS

S'appeler	S'asseoir
Je m'appe**ll**e	Je m'ass**ieds**
Il s'appe**ll**e	Il s'ass**ied**
Nous nous appe**l**ons	Nous nous ass**ey**ons
Vous vous appe**l**ez	Vous vous ass**ey**ez
Ils s'appe**ll**ent	Ils s'ass**ey**ent

Se promener	Se lever
Je me prom**è**ne	Je me l**è**ve
Il se prom**è**ne	Il se l**è**ve
Nous nous promenons	Nous nous levons
Vous vous promenez	Vous vous levez
Ils se prom**è**nent	Ils se l**è**vent

VOCABULARY

à, to, at
abîmer, to spoil
acheter, to buy (p. 166)
additionner, to add
les **affaires** (f.), business
l' **âge** (m), age; **quel âge avez-vous?** how old are you?
un **agent** (**de police**), policeman.
aimer, to like, love.
aîné(**e**), elder, eldest.
ainsi, thus; **et ainsi de suite**, and so on
aller, to go (p. 166)
alors, then
une **ambulance**, ambulance
un(e) **ami**(**e**), friend
un **an,** year
un **âne**, donkey
l' **Angleterre** (f.), England
une **année**, year
un **anniversaire**, birthday
août (m.), August
appeler, to call
s' appeler, to be called (p. 168); **comment vous appelez-vous?** what is your name?
un **appartement**, flat
apporter, to bring
après, after
un(e) **après-midi**, afternoon
un **arbre**, tree
arriver, to arrive
s'asseoir, to sit down (p. 168); **être assis,** to be sitting
une **assiette,** plate
attendre, to wait for (p. 166)
au-dessus de, above
aujourd'hui, today
au revoir, goodbye
aussi, also, too
une **auto**, car
un **autobus**, bus
l' **automne** (m.), autumn; **en automne**, in autumn
autre, other
avec, with
avoir, to have (p. 166)
avril (m.), April

se baigner, to bathe, have a bath (p. 168)
une **baignoire**, bath(tub)
baisser, to lower, let down
une **balle**, ball
un **ballon**, football, balloon
un **banc**, bench, seat
un **bas**, des **bas**, stocking(s)
un **bateau**, boat
beau, fine; **il fait beau**, it is fine
beaucoup, much, a lot; **beaucoup de**, a great many, lots of
un **bébé**, baby
un **béret**, beret
le **beurre**, butter
une **bicyclette**, bicycle
bien, well, very much
la **bière**, beer
un **billet**, ticket; **seconde aller et retour**, second class return
blanc(**he**), white
bleu(**e**), blue
blond(**e**), fair-haired
boire, to drink (p. 166)
une **boisson**, drink, beverage
une **boîte**, box
un **bonbon**, sweet
bonjour, good morning
un **bord**, edge; **au bord de**, beside; **au bord de la mer**, at the seaside
une **bouche**, mouth
une **boucherie**, butcher's shop
une **boulangerie**, baker's shop
un **bout**, end; **au bout de**, at the end of
une **bouteille**, bottle
une **boutique**, small shop; **boutique en plein air**, market stall
une **branche**, branch
un **bras**, arm
briller, to shine
brun(**e**), brown

un **buffet**, sideboard
un **bureau**, desk
un **bureau de poste**, post office

ça, that; **ça y est**! that's it! that's done!
un **cabinet de toilette**, cloakroom; les **cabinets,** lavatory
cadet(**te**), younger, youngest
le **café**, coffee; **café au lait**, white coffee; **café noir**, black coffee
un **café**, café, bar
une **cafetière**, coffee-pot
un **cahier**, exercise book
le **calcul**, arithmetic
calculer, calculate, work out
un **caleçon** (**de bain**), (bathing) trunks
un **calendrier**, calendar
un **camarade**, school-friend
un **camion**, lorry
la **campagne**, country; **à la campagne**, in the country
un **canapé**, settee
un **canif**, pen knife
un **canon**, round (song)
une **carafe**, water-bottle, carafe
une **carte**, map
ce, **cette**, **ces**, this, that, these, those
certainement, certainly
une **chaise**, chair
une **chambre** (**à coucher**), (bed)room
une **chanson**, song
un **chapeau**, hat
une **charcuterie**, pork butcher's shop
un **chat**, cat
un **château**, castle
chaud, hot; **il fait chaud**, it is hot (weather)
une **chaussette**, sock
une **cheminée**, chimney
une **chemise**, shirt
un **chemisier,** blouse
le **chemin de fer**, railway
chercher, to look for
chéri(**e**), darling, dear
les **cheveux** (m.), hair
chez, at the house (home) of
un **chien**, dog
le **chocolat**, chocolate
le **cidre**, cider
le **ciel**, sky
une **cigarette**, cigarette
un **cinéma**, cinema
un **coin,** corner; **au coin de**, at the corner of
un **collant**, tights
un **collège**, secondary school
colorier, to colour, crayon
combien de . . . ? how many?
comment? how? what?; **comment est-il?** what is he (it) like? **comment vous appelez-vous?** what is your name?
une **commode**, chest of drawers
un **compartiment**, compartment
compléter, to complete
compter, to count
un **comptoir**, counter
la **confiture**, jam
un **congé**, leave of absence, holiday
content(**e**), pleased, happy
un **contrôleur**, ticket-collector
une **corbeille**, basket (without handle)
un **corps**, body (living)
corriger, to correct
un **côté**, side; **à côté de**, beside
couché(**e**), lying down
une **couleur**, colour
un **couloir**, corridor, passage
une **cour**, yard, playground
courir, to run (p. 166)
un(e) **cousin**(**e**), cousin
un **couteau**, knife
un **couvert**, place at table
couvert(**e**) **de**, covered with
la **craie**, chalk
une **cravate**, neck-tie
un **crayon**, pencil
une **crémerie**, dairy
une **cuiller**, spoon
une **cuisine**, kitchen
une **cuisinière**, cooker
une **culotte**, shorts
le **cyclisme**, cycling

une **dame**, married woman, lady
dans, in
danser, to dance
une **date**, date; **quelle est la date**

aujourd'hui? what is the date today?
debout, standing up
décembre (m.), December
décrire, to describe
déjà, already
le **déjeuner**, mid-day dinner
demi(e), half
le **départ**, departure
derrière, behind
un **dessin**, drawing
dessiner, to draw (something); **faire un dessin**, to do a drawing
deuxième, second
devant, in front of
un **diable**, porter's barrow
le **dimanche**, Sunday
le **dîner**, evening meal
dire, to say (p. 166)
distribuer, to distribute
un **doigt**, finger
donc, then, so, therefore
donner, to give
un **drapeau**, flag
droit(e), right; **à droite**, on the right; **à droite de**, on the right of

l' **eau** (f.), water
une **école**, school (usually primary)
écouter, to listen to
écrire, to write (p. 166)
une **église**, church
un(e) **élève**, pupil
elle, she, it
un **employé**, clerk, employee
employer, to use
emporter, to take away
en, in; **en face de**, opposite; **en auto**, by car; **en chemin de fer**, by rail
encore, more, again; **encore une fois**, once more, again
un(e) **enfant**, child
ensemble, together
une **entrée**, way in, entrance
entrer, to come in
une **épicerie**, grocer's shop
un **escalier**, staircase
et, and
un **étage**, storey, floor; **au premier étage**, on the first floor
l' **été** (m.), summer; **en été**, in summer
être, to be (p. 166)
un **évier**, kitchen sink

fâché(e), angry, cross
un **facteur**, postman
faire, to make, do (p. 167)
une **famille**, family
un **fauteuil**, armchair
une **femme**, woman, wife
une **fenêtre**, window
fermé(e), shut
fermer, to shut
une **fête**, festival, holiday
le **feu d'artifice**, firework display; les **feux d'artifice**, fireworks
une **feuille**, leaf
février (m.), February
une **figure**, face
une **fille**, daughter
une **fillette**, little girl
un **fils**, son
une **fleur**, flower
une **fois**, once; **quatre fois**, four times
le **football**, football (game)
une **fourchette**, fork
un **franc**, franc (French coin)
français(e), French
un **Français**, Frenchman
une **Française**, Frenchwoman
frapper, to knock
un **frère**, brother
froid, cold; **il fait froid**, it is cold (weather)
le **fromage**, cheese
un **fruit**, fruit
une **fruiterie**, greengrocer's shop
fumer, to smoke

gai(e), gay, cheerful
un **gant**, glove
un **garage**, garage
un **garagiste**, garage proprietor
un **garçon**, boy
une **gare**, station
un **gâteau**, cake
gauche, left; **à gauche**, on the left; **à gauche de**, on the left of
geler, to freeze

les **gens**, people
une **glace**, ice-cream; **la glace**, ice
glisser, to slide, slip
une **gomme**, india-rubber
grand(e), big, great, tall
gris(e), grey
un **guichet**, booking-office window, pay-desk

un **habit**, garment
habiter, to live in (at)
une **heure**, hour; **quelle heure est-il?** what time is it?; **à l'heure**, on time
l' **hiver** (m.), winter; **en hiver**, in winter
un **homme**, man
un **hôpital**, hospital
une **horloge**, large clock
l' **horreur** (f.), horror; **quelle horreur!** how frightful!

une **idée**, idea
il, he, it
il y a, there is, there are
une **image**, picture
imiter, to imitate
un **imperméable**, mackintosh
indiquer, to point out
une **infirmière**, hospital nurse
l' **intérieur** (m.), inside; **à l'intérieur**, on the inside

une **jambe**, leg
janvier (m.), January
un **jardin**, garden
jaune, yellow
le **jeudi**, Thursday
joli(e), pretty, nice
jouer, to play
un **jouet**, toy
un **jour**, day
un **journal** (des **journaux**), newspaper(s)
la **journée**, day(time)
juillet (m.), July
juin (m.), June
une **jupe**, skirt

un **kiosque**, newspaper-stall

le **lait**, milk
une **leçon**, lesson
un **légume**, vegetable
une **lettre**, letter
leur(s), their
lever, to lift
se lever, to get up (p. 168)
lire, to read (p. 167)
un **lit**, bed
un **livre**, book
la **limonade**, lemonade
une **locomotive**, railway engine
le **lundi**, Monday
des **lunettes** (f.), spectacles, glasses

ma, mon, mes, my
un **magasin**, shop
mai (m.), May
un **maillot**, bathing costume
une **main**, hand
maintenant, now
une **mairie**, town-hall
mais, but
une **maison**, house
un **maître**, master, schoolmaster
une **maîtresse**, schoolmistress
maman, Mummy
manger, to eat (p. 167)
un **manteau**, lady's or girl's coat
un(e) **marchand(e)**, shopkeeper, salesman(woman)
les **marchandises** (f.), goods, wares
un **marché**, market; la **place du marché**, market place
marcher, to walk
le **mardi**, Tuesday
un **mari**, husband
mars (m.), March
un **matin**, morning
mauvais(e), bad; **il fait mauvais**, the weather is bad
un **mécanicien**, engine driver
mécanique, clockwork
la **mer**, sea; **au bord de la mer**, at the seaside
merci, thank you
le **mercredi**, Wednesday
une **mère**, mother
mettre, to put (p. 167); **mettre la table**, to lay the table
midi, noon; **midi et demi**, half past twelve (p.m.)

le **milieu**, middle; **au milieu de,** in the middle of
une **minute**, minute
moderne, modern, up-to-date
moins, less, minus
un **mois**, month
un **moment**, moment; **à ce moment**, at this (that) moment
un **monsieur** (des **messieurs**), gentleman(men)
monter, to go up, to get into a vehicle
une **montre**, watch
montrer, to show
un **moteur**, engine
une **motocyclette**, motor cycle
un **mouchoir**, handkerchief
multiplier, to multiply
un **mur**, wall

nager, to swim
une **nappe**, tablecloth
national(**e**), national
ne (**n'**) . . . **pas**, not; **ne** (**n'**) . . . **plus**, no more, no longer; **ne**(**n'**) . . . **rien**, nothing
n'est-ce pas ? isn't it ? aren't they?
la **neige**, snow
neiger, to snow
un **neveu** (des **neveux**), nephew(s)
un **nez** (des **nez**), nose(s)
une **nièce**, niece
noir(**e**), black
un **nombre**, number
non, no; **non plus**, (not) either
notre, nos, our
novembre (m.), November
un **nuage**, cloud
une **nuit**, night; **il fait nuit**, it is dark
un **numéro**, number (of house in street, station platform, etc.)

obéir, to obey
octobre (m.), October
un **œil** (des **yeux**), eye(s)
un **œuf**, egg
un **oiseau,** bird
un **oncle**, uncle
une **oreille**, ear
où, where
ou, or
oui, yes
ouvert(**e**), open
ouvrir, to open

le **pain**, bread
un **pain**, loaf
un **palier**, landing
un **panier**, basket (with handle)
un **pantalon**, long trousers
papa, Daddy
le **papier**, paper
un **paquet**, packet
par, through, by
un **parapluie**, umbrella
parce que, because
un **pardessus**, man's or boy's overcoat
un **parent**, relative; les **parents,** parents
parler, to speak
une **partie**, part
passer, to spend (of time)
une **pâtisserie**, cake and pastry shop
un **patron**, owner, boss
un **pêcheur**, fisherman
une **pendule**, clock
un **père**, father
un **personnage**, character (in play)
une **personne**, person, individual; les **grandes personnes**, the grown-ups
petit(**e**), small, little
le **petit déjeuner**, breakfast
peu, little; **un peu de**, a little
un **peuplier**, poplar tree
une **pièce**, room (in house)
un **pied**, foot
une **pipe**, pipe
une **piscine**, swimming pool
un **placard**, fitted cupboard
une **place**, town square; la **place du marché**, market place
un **plafond**, ceiling
une **plage**, beach
un **plan**, plan, diagram
un **plancher**, floor
un **plat**, dish
un **plateau**, tray
pleuvoir, to rain; **il pleut**, it is raining
une **poche**, pocket
un **poisson**, fish

une **pomme**, apple
un **pont**, bridge
une **porte**, door; **porte d'entrée,** front door
un **portemanteau**, coat-rack
porter, to carry, wear
un **porteur**, porter
un **poste d'essence**, petrol pump
un **poste de police**, police station
un **poste de télévision,** television set
un **pot**, pot, jug
le **potage**, soup
un **portrait**, portrait
une **poupée**, doll
pour, for
un **pourboire**, tip
pourquoi? why?
pousser, to push
premier, première, first
prendre, to take; **prendre un repas**, to have a meal (p. 167)
prêt(e), ready
principal(e), chief, principal
le **printemps**, spring; **au printemps**, in spring
se **promener**, to go for a walk (p. 168)
un **professeur**, secondary school teacher (master or mistress)
des **provisions** (f.), provisions, food supplies
un **pullover**, jersey
un **pupitre**, pupil's desk

un **quai**, platform
quand, when
un **quart**, quarter
quel(le), what (a)
quelquefois, sometimes, now and then
une **question**, question
une **queue**, tail; **queue de cheval,** pony tail
qui, who
quitter, to leave
quoi, what; **pas de quoi!** don't mention it!

une **radio**, wireless
un **rapide**, express train
une **raquette**, racket
un **rayon**, shelf
regarder, to look at (p. 166)
une **règle**, ruler
une **religieuse**, nun
remuer, to move
rencontrer, to meet
un **repas**, meal
répéter, to repeat
répondre, to reply, answer
un **représentant de commerce,** commercial traveller, representative
rester, to stay, remain
retard; **en retard**, late
le **rez-de-chaussée**, ground floor
un **rideau**, curtain
rien, nothing (with **ne** before the verb)
une **rivière**, river
une **robe**, dress
une **roue**, wheel
rouge, red
roux, rousse, red-haired
une **rue**, street

sa, son, ses, his, her
le **sable**, sand
un **sac**, bag, handbag
une **sacoche**, saddlebag, postman's bag
sage, good, well-behaved
une **saison**, season
une **salle à manger**, dining room
une **salle de bain**, bathroom
une **salle de classe**, classroom
un **salon**, living room
le **samedi**, Saturday
une **saucisse**, sausage
une **seconde aller et retour,** second class return
une **semaine**, week
septembre (m.), September
service; **à votre service**, at your service
une **serviette**, briefcase
seul(e), alone
s'il vous plaît, please
une **sœur**, sister
un **soir**, evening
le **soleil,** sun

une **sorte**, kind; **de toutes sortes**, of all kinds
une **soucoupe**, saucer
soudain, suddenly
un **soulier**, shoe
sous, under
le **sport**, games
sportif, sportive, athletic, keen on games and sport
un **stylo**, fountain pen
suivre, to follow (p. 167)
supplémentaire, extra, additional
sur, on
sûr(e), sure; **bien sûr**, surely, to be sure
surtout, above all, especially

une **table**, table
un **tableau**, picture; **tableau noir**, blackboard
un **tabouret**, stool
une **tante**, aunt
une **tasse**, cup
la **télévision**, television
le **temps**, weather
le **tennis**, tennis
une **terrasse**, terrace, pavement in front of a café
la **terre**, earth, ground
une **tête**, head
le **thé**, tea (the drink)
un **tiroir**, drawer
un **toit**, roof
tomber, to fall
toucher, to touch
toujours, always
tout(e), all; **pas du tout**, not at all
tout le monde, everyone
un **train**, train
traverser, to cross
travailler, to work
très, very
le **tricolore**; **le drapeau tricolore**, the French flag, which is blue, white and red
le **tricot**, knitting
triste, sad
un **trottoir**, pavement
trouver, to find
se trouver, to be

unique, only, single; **fils, fille, enfant unique**, only son, daughter, child

une **valise**, suitcase
un **vase**, vase
vendre, to sell
le **vendredi**, Friday
le **vent**, wind; **il fait du vent**, it is windy
un **verre**, glass, tumbler
vers, towards
vert(e), green
une **veste**, jacket
un **vestibule**, hall
la **viande**, meat
vide, empty
une **ville**, town
le **vin**, wine
vite, quickly
la **vitrine**, shop-window
voici, here is; **voilà**, there is
voir, to see (p. 167)
une **voiture**, vehicle, car
votre, vos, your
vouloir, to want, wish (p. 167)
un **voyage**, journey; **bon voyage!** pleasant journey!
voyager, to travel
un **voyageur**, traveller

un **wagon**, railway coach, truck